いぬじゅん

旅の終わりに君がいた

実業之日本社

目次

第一話

秋が降る日に

静岡市

季俣埜乃（二十五歳）

私は電車に乗ることができない。想像するだけで体が震え、うずくまりたくなるほどに怖い。

だから今日も静岡駅からの移動に、新幹線ではなく高速バスを使っている。沼津インターを出たバスは国道を越え、沼津駅の方面へ進んでいく。

バッグの中からオレンジ色のスケジュール帳を取り出した。真ん中に挟んである、切り取った新聞記事を広げた。


【静岡東西線で脱線事故】

23日午後2時40分ごろ、静岡東西線（第二浜松駅前踏切）で浜松行臨時電車（5両編成、乗客約３００人）が浜松山（浜松市天竜区三俣町）で起きた土砂崩れにより脱線し、2〜3両目が横転した。静岡県警によるとこの事故で少なくとも12人

（男性5人、女性7人）が死亡。80人が病院へ搬送された。横転した車両には乗客30人以上が取り残され、消防隊員が救出作業を行っている。


何度くり返し読んでも慣れることはない。新聞だけでなくテレビでも連日報道がくり広げられ、今でも命日になるとニュースに取りあげられている。

私の大切な家族を奪った事故から五年が過ぎようとしている。

「……ダメ」

バスのエンジン音に隠れるようにつぶやいた。思い出したくないくせに、痛みを再確認するかのように何度も読んでしまう。

新聞記事をしまい窓の外に目をやると、いつの間にか雨が降り出していた。何年かぶりに見る駅前の風景が薄暗く感じるのは、天気のせいだけじゃない。過去の出来事が、街の色を変え、私の瞳を閉じさせる。

「ご乗車ありがとうございました。間もなく、沼津駅南口へ到着します」

バスの運転手のアナウンスに荷物をまとめていると、バッグのなかでスマホが震えた。彼からのＬＩＮＥ（ライン）だ。

一昨日から連絡が取れていなかったのでホッとした。

今井剛(いまいつよし)とは大学三年生の時に知り合った。静岡市にある大学の学食、隣のテーブルで大盛りカツ丼をかき込んでいたのが彼だった。同じ沼津市出身ということで仲良くなり、四年生の春に告白された。

あれから三年半。ふたりで静岡市に残り就職したのに、去年彼は転職を決め沼津市に戻ってしまった。私に知らされたのは、すべてが決まったあとだった。

『心配させたくなかったんだ。なにも変わらないよ。落ち着いたら結婚してほしい』

言い訳に添えたプロポーズに励まされ、この一年を過ごしてきた。会うのは数カ月に一度、電話はいつも私からでＬＩＮＥの頻度も減っている。

それでも明日、私たちは結婚に向け新たな一歩を踏み出す。やっと両家の顔合わせがおこなわれるのだ。来年の五月に結婚式を執りおこなう予定で、式場の予約も済ませている。婚約指輪だって来月には完成する予定。

昔の記憶に引っ張られている場合じゃない。大きく深呼吸して剛からのＬＩＮＥを開くと、

『ごめん』

という三文字が表示されている。

「え……？」

ごめん、ってどういうこと……？

駅の構内に入りバスは減速をはじめている。上着を着てから荷物を手にする。ドアが開くと、雨のにおいが車内に侵入してきた。バスから降り、目の前にあるビルに駆け込む。大粒の雨が、肩まで伸ばした髪を濡らした。

ビルの一階にあるカフェが待ち合わせ場所。店内は混んでいて、BGMに負けないくらいの声が渦巻いている。ホットコーヒーを手に剛の姿を探すが見当たらない。

空いているふたり掛けの席につき、スマホのメッセージを確認すると、彼からの新しいメッセージが届いていた。

『明日は中止にしてほしい』

短いメッセージに「嘘……」と声が出てしまった。隣の席の高校生カップルがいぶかしげに視線を送ってくるけれど、それどころじゃない。

中止ってどういうこと？

剛に電話をかけるが出てくれない。代わりにメッセージが追加された。

『全部なかったことにしてほしい』

頭の中が真っ白になり、何度も画面に表示された文字を目で追う。

全部なかったことに、って……。それは、明日の両家顔合わせのことを言っているの？　それとも、婚約指輪を予約したこと？　まさか、結婚自体をなかったことに……。

考えがまとまらず、気づけば胸あたりをギュッとつかんでいた。

とにかく剛と話をしないとと、テーブルの上のスマホをつかむけれど、さっきかけたばかりなのに、どのボタンを押せば電話をかけられるのかがわからない。

なんとか発信履歴の画面から剛の名前を押すけれど、やはり電話に出てくれない。

どうしよう、どうしよう……。

『話がしたい』とメッセージを送ると、しばらくして既読がついた。すぐにスマホが着信を知らせて震えたので、飲みかけのコーヒーをそのままに店を飛び出た。

「剛？」

『ああ、埜乃。急にごめん』

彼の声はいつもと変わらない。まるでデートに遅刻するような口調だ。

「どういうこと？　中止って……冗談だよね？」

バスターミナルに戻り、雨よけの下に避難した。屋根で雨が砕け、歩道では激しく躍っている。

『いろいろ考えたんだけど、このまま結婚するのは違うと思って』

「……え？」

　ぐにゃりと頭の中でなにかがゆがんだ気がした。一気に周りの音が遠ざかり、白分の呼吸音だけが耳に届いている。

「違う、ってどういう意味……なの？」

　きっとなにかの間違いに決まっている。剛は昔から、急に気が変わることが多かったから。

『ずっと違和感があったんだ。埜乃、本当は沼津に戻って来たくないんだろ？』

　剛の言葉を頭のなかでくり返すけれど、情報の処理が追いつかない。

　戻って来たくないわけじゃない。実家に顔を出したくないだけで、剛と一緒に住めるのなら平気。

　そう言いたいのに、小刻みに震える唇が言葉に変換してくれない。

『アパートの契約のことなんだけどさ』

「アパート？」

　ああ、そうだ。剛が職場の近くに借りたというアパート。月末からは私も引っ越す予定だった。

『キャンセルしといたから』

当たり前のように剛は言った。

「え……でも、私……」

勤務先にはすでに退職届を提出して受理されている。今は有給休暇を消化しながら引っ越しの準備を進めているところだ。

全部、剛だって共有していることなのに、どうして……？

『ごめん。全部、俺が悪いんだ』

激しい雨音が、彼の声を遠ざける。

『明日の店も式場も婚約指輪もキャンセルする。もちろんキャンセル費用は俺が出すから』

彼は終わりに向かって言葉を重ねていく。ああ、本気で言ってるんだ……。

会って話をしたい、と言う私に、『ごめん』をくり返して電話は一方的に切られた。

スマホを耳から離すと、痛いほどの雨音がすぐそばで騒いでいた。

実家に足を踏み入れたのは、両親の一周忌以来だった。

リノベーションされた台所は、アイランドキッチンと大理石のテーブルが鈍い光を反射していて、リビングとの間にあった壁も撤去されていた。

私の話が終わると、ソファに座る兄と妻の優里（ゆり）さんが無言で顔を見合わせた。

「つまり」先に口を開いたのは優里さんだった。

「婚約を破棄されたってことよね」

「……はい」

私だけが床に正座をしていて、まるで叱られている気分だ。

優里さんは大きくため息をつき、長い前髪を指でかき上げた。

「なにそれ。明日、美容室の予約を入れてたんだけど」

彼女の笑顔は見たことがない。いつも不機嫌で、両親の葬式の日でさえも、『リノベしないならこんな古い家には住めないから』と兄に食ってかかっていた。

実家は兄夫婦の物となり、私は五年前から帰る場所を失った。遺産相続の放棄は、郵送でサインを求められた。一周忌も近くにある葬儀場でおこなわれたので、ここには数分しか滞在していない。

「そもそも、あたしたちに挨拶がない時点でろくでもない男だと思ってたけどね」

捨て台詞を吐き、優里さんは美容室のキャンセルの電話をかけにリビングを出て行った。

兄は腕を組み、ついていないテレビをにらんでいる。私より七歳上の兄は、今年で三十二歳。歳が離れているせいで、昔から距離を感じていた。

薄いフレームのメガネを中指で直すと、

「で？」

とひと言放った。

なにも言えない私に、兄は冷たい目を向けた。

「これからどうするつもり？」

「剛に会って話をしようと――」

「やめておけ」

兄はいつも私に最後まで語らせない。

「そんなことしても意味がない。両家の顔合わせもしてないから、婚約破棄だと訴えることは難しい。そもそも婚約破棄の慰謝料なんて雀の涙ほどしか出ない」

現実的な兄らしい言葉だと思った。だけど、彼に会いたいのは訴えるためじゃなく、話せば考えを変えてくれると願っているから。

剛は昔から、ひとりでなんでも決めていた。そのくせ、あとで後悔することも多かった。今回のことだって、かしこまったイベントにプレッシャーを感じただけかもしれない。

「ここに戻るだなんて考えてないよな？」

思考の世界から現実に戻された。うなずく私に、兄はホッとしたように小さく息を吐いた。

「静岡で新しい仕事を探せばいい。少しくらいの援助ならできるから」

優里さんが戻ってこないことを確認しつつ、兄は声のボリュームを絞った。

「大丈夫だよ。それなりに結婚資金として貯めていたから」

すでに過去形で話していることに悲しくなる。

次に私がこの家に来るのはいつだろう？　兄と優里さんを嫌いなわけじゃないけれど、理由がないと実家に戻ることさえできない。

「お父さんとお母さんが亡くなってから、もう五年が経つんだね」

感傷的な空気を拒否するように、兄はすっくと立ちあがった。

「駅まで送るから用意して」

「あ……お父さんとお母さんに挨拶だけしてもいい？」

「……車で待ってる」

兄と入れ替わりに戻ってきた優里さんは、私の存在なんてないように洗い物をはじめている。

隣にある和室に行き、仏壇に向かい手を合わせた。リノベーションされた家の中で、この部屋だけがかろうじて実家であることを実感させてくれる。

両親の遺影は、河津桜を見に行った時の写真だ。まさかこんな形で使われるなんて思っていなかったよね。

「お父さん、お母さん、ただいま。全然帰って来なくてごめんね」

五年前、私たちはあの電車に乗っていた。救急搬送された病院で私は両親の死を知った。泣いて泣いて、泣き続けて以降、どんなことが起きても涙が出なくなった。

結婚がダメになった今も、悲しい気持ちは湧き水のようにあふれてくるのに涙は枯渇したまま。

もしも五年前に戻れるならなんでもするだろう。兄が冷たいのは、両親が亡くなったのは私のせいだと暗に責めているから。

私も兄も言いたいことを言えない性格だからこそ、逆にお互いがなにを考えているのかがわかってしまう。

「全部、ダメになっちゃったよ」

どんなにもがいても沈んでいく泥の船。写真のふたりに『がんばる』と誓えるほどの力は残っていなかった。こういう時に泣けたらいいのに。それならば、少しは心のなかで渦巻いている感情が収まってくれるかもしれない。

襖が音を立てて開いた。

「ちょっと早くしてよ。エンジン音がうるさいって苦情が来ちゃうじゃない」

優里さんはその名前と違い、いつだって私にはやさしくない。


沼津駅で私を降ろすと、兄の車はすぐに走り去ってしまった。

雨はさっきよりも弱まっているのに、重苦しい空気が駅前を浸しているようだ。

秋が深くなり、遠くに見える山もくすんだ色になっている。

「剛……」

戻る前にちゃんと話をしなくちゃ。

カフェが入っているビルに避難し、トイレの前に並ぶ椅子に腰をおろした。

剛に電話をかけるが出てくれない。何度もかけているうちに電源を切られたらしく、コール音もなく留守番電話サービスにつながれてしまった。

「埜乃です。あの……会って話をしたいの。イーラの一階に……カフェにいるから」

イーラはこのビルの通称。六階建てのビルにスーパーやショップ、すし屋やカフェが入っている。正式名称はたしか、イーラdeだったはず。剛と初めて会った日に、ここの話題で盛り上がったことを昨日のことのように覚えている。

「ずっと……待ってる。お願い、話をしたい……の」

会えばきっと考え直してくれるはず。いつものように、『ごめん』ってほほ笑む剛の顔が想像できる。

式のために伸ばした髪が濡れ、首筋を冷やしている。

トイレで髪とメークを直した。最後くらいはきれいに思われたいから。

……最後？

鏡に映る自分をぼんやりと見つめる。プロポーズをされ、結婚が決まり仕事を辞める。順風満帆だったはずの日々が、こんな簡単に崩れようとしている。

電話やメッセージだけで彼はこの三年間をなかったことに――。

「ダメ」

暗い思考に傾いてしまったら前向きな話ができない。

コーヒーショップで再度ホットコーヒーを注文した。スタッフは私がさっきも来たことを覚えていないらしく、マニュアル通りに会計をした。

窓際の席に座ると、駅へ向かう人のカサがいくつも咲いている。赤色、黄色、黒色、白色。

誰もが幸せそうに見えてしまい、カップの中で揺れているコーヒーに目を落とした。ひどくみじめな気分だ。

「埜乃」

声に顔を上げると、

「え……菜絵？」

須藤菜絵が薄い色のコートを着て立っていた。

菜絵は大学生時代の友だち。明るい髪色と同じくらい陽気な性格で、大学はサボりがちだったけれど、お互いの部屋を行き来するほど仲が良かった。

「なんで……」

菜絵は卒業後、地元である富士市に戻り製紙製造の会社に入った。最後に会ったのは一年以上前で、それも静岡市でおこなわれている大道芸ワールドカップというイベントで偶然会っただけ。どうしてここにいるのだろう……。

落ち着いたトーンの髪色になった代わりに、メークは濃くなっている。菜絵がなにも言わずに前の席に腰を下ろした。

再会を喜ぶこともなく私を見つめる菜絵に、足元からじわりと嫌な予感が這(は)い上がった。たっぷり間を置いたあと、菜絵の赤い唇が開いた。

「埜乃に話がしたくて来たの」

――どうしてそんな顔をしているの？

「剛は止めたんだけど、私からどうしても話したかったの」

――前は『剛くん』って呼んでいたのに、どうして？

「こんなことになって、ごめん」

――なんで菜絵が謝るの？

店内に流れるクラシック音楽が頭の中でぐるぐる回りだす。

嫌だ。聞きたくないよ。視線から逃げたくても、まるで蛇ににらまれた蛙(かえる)。菜絵は姿勢を正すと挑むような目を向けてきた。

「私と剛、つき合っているの」

「……え？」

無意識に笑みを浮かべていることに気づき、キュッと口を閉じた。

「大学を卒業したあと、沼津で新人研修があってね。その時に剛に会ったの。前から……ずっと好きだったの」

まるでジェットコースターに乗っているみたい。椅子の手すりをつかんでいないと今にもふり落とされてしまいそう。

「剛のことを責めないでほしいの。言えないまま今日まで来ちゃったんだよ。ほら、彼って少し気が弱いところがあるから」

そんなところも好きなの、とでも言いたそうに菜絵は照れた顔でほほ笑んでいる。

なにか言わなくちゃ。言葉を探してもなにも見つからない。

「埜乃にちゃんと言いたかったけど、やっぱり無理だった。でも結局、剛は私を選んでくれたの」

「そう、なんだ……」

喉の奥でつっかえる言葉を無理やり出すと、いがらっぽくて自分の声じゃないみたい。

菜絵はテーブルに両肘をつき、組んだ手の上にあごを乗せた。

「こんな私でも、まだ友だちでいてくれる？」

彼に愛されている女性が、上目遣いでそう尋ねた。

どうやって静岡市に戻って来たのかわからない。気づくとトランクを引きながら地下街をひとり歩いていた。

足を止めてふり返る。剛がいるわけもないのに、人ごみに彼の姿を探してしまう。

結婚がダメになり仕事も辞める予定。親友だと思っていた人に大事な人を奪われた。それなのに呼吸をしている私は何者？

時間差でモヤモヤした怒りがお腹（なか）の中に生まれている。どんどん育つ感情を吐き出してしまえばラクになれるのに、できないままで飼っていくのだろう。

体を引きずるようにして階段をあがり地上に出ると、いつの間にか夕闇が街を支配していた。雨は降っておらず、秋の空には星がひとつ光っている。

同じ静岡県なのに、私と剛の住む街では天気が違うことがある。彼の心が変わってしまったことに気づかなかったのは、距離のせい？　それとも、菜絵のせい？

北風が攻撃するように吹きつけ、髪を乱した。

逃れるように足を進めると右手に大きなビルが見えてくる。新静岡セノバというショッピングビルで、学生時代は剛ともよくここに来ていた。仕事帰りと思われる人々が自動ドアに吸い込まれるのを横目に横断歩道を渡る。

なぜこんなことになったのだろう？　なぜ気づけなかったのだろう？

そして、なぜ私は生きているのだろう？

たくさんの『なぜ』が静かに私を責めている。

水堀の向こうに石垣が見えてくる。静岡駅近くにある駿府城公園は、徳川家康ゆかりの地として有名な場所。駿府城自体はもうないが、東御門は私の幼少期に復元され、今では資料館として活用されている。

公園内は広く、芝生には木々が落とした枯れ葉が転がっていた。右へ足を進めると紅葉山庭園と呼ばれるスポットがある。入場料を払えば、美しい庭園を眺めたりお茶を飲むことができるが、今日の開園時間は終わったらしく門は閉ざされていた。

剛と初めてのデート先がここだった。春なので紅葉は見られず、桜も終わったあとだったけれど、青々しい木々が映る池をふたりで眺めた。

秋になったらまた来ようね、と約束したけれど、入場料をケチった私たちは、門の前に広がる広場のベンチで時間を過ごすことが多かった。

同じベンチに座ってみる。近くにある木が色づき、秋を降らせている。

スマホを開いても剛からの連絡はない。菜絵からも兄からも、当然、優里さんからも。

みんなから見捨てられてしまった。ううん、前からそうだったのかもしれない。

――今夜、私は死を選ぶのだろう。

漠然とした予感は、あっという間に夜とともに私を包み込んでいく。不思議と重い気持ちはなく、そうすることで救われる気さえしている。

そうだ、商店街の近くにイタリアンのお店があった。ぽつんと置き忘れられたような小さな店で、大学の帰りにお茶をしたり夕食をしたりした。

あの店で最後の晩餐(ばんさん)を摂(と)ろう。どうやって死ぬのかを吟味するのに、これ以上の場所はない。醜い感情を吐き出すくらいなら、このまま一緒に滅んでしまいたい。本気でそう思った。

北御門橋を越え、導かれるように商店街のほうへ歩いていく。

彼がよく食べていたのは『桜えびとしらすのパスタ』だ。白ワインが香る麺に、桜えびとしらすがふんだんに盛りつけてある一品。たくさんの目に見られているようで、私は苦手だった。

彼が好きなものを受け入れなかったからこんなことになったのかもしれない。彼もきっと苦しんだし、悩んでいた。気づけなかった私がぜんぶ悪いんだ。

古びた商店街は、昔となにも変わらない。大学を卒業してからここに来ることはなかったけれど、靴屋も茶屋もあの頃のままだ。

まるで剛と一緒に歩いているみたい。あの頃はいつもふたりでいて、たまに菜絵も一緒になって……。楽しかった記憶が悲しみ色に塗り替えられていく。

横断歩道を渡ると、もうすぐ店が見えてくるはず。速足のまま進むと、そこにはぽっかりと広がる空き地があった。

「え……」

あの白い建物は跡形もなく、【管理地】と書かれた看板が置いてある。私たちの思い出の店は、この世から消えてしまっていた。

こんなにもうまくいかないものか、と少し笑った。

そこでやっと、空き地の奥に停まっている軽トラックに気づいた。横面が跳ね上げ式の扉になっていて上部に開いている。

わずかな照明しかついておらず、カウンターらしき木製の板が見える。丸椅子が四つ並んで置いてあるところを見ると、これはキッチンカーなのだろうか。それにしては、看板らしきものは見当たらない。

軽トラックは黒を基調としていて、白のストライプが縦に何本か入っている。葬式でよく見る白黒の鯨幕を連想させた。

今の私にあまりに似合っている気がして、光に吸い寄せらせる虫のようにフラフラと近づいていた。

カウンターの奥に立っている店主らしき男性と目が合った。男性はまだ若く、私の少し上くらいに思えた。紺色の長袖作務衣に同じ色の調理キャップを被っている。鋭角の眉と切れ長の瞳が、夜に似合っていた。視点は私に向いているのに、なにも見ていないように思えるのはなぜだろう。先に目を逸らしたのは私のほう。

キッチンカーが椅子の影を四つ作っている。お父さん、お母さん、兄と私。最後に四人で食事をしたのはいつだったのか。思い出せないほど遠い昔の話だ。

「お好きな席へお座りください」

丁寧な言葉に反し、ぶっきらぼうな言い方に顔を上げる。

「え……」

「いいから座って」

タメ語……？

驚く私のほうを見ようともせず、店主は調理をはじめている。

普段の私なら店を立ち去っただろう。でも、今日はいろんなことがありすぎて疲れすぎている。

一番左の席に腰を下ろし、カウンターの細長いテーブルに意味もなく両手を置く。軽トラックの助手席になにか文字が小さく書かれていることに気づいた。

【ＦＩＮＥ】と書かれたステッカーが貼ってある。ＦＩＮＥ（ファイン）、つまり元気という意味だ。

シックなデザインのキッチンカーには似合わないし、今の私にはもっと似合わない。

「あ……」

思わず声を出すと、店主がいぶかしげに私を見た。さっきとは違い、鋭い視線に思わずたじろいだ。

「あの、すみません。ここってメニューは……」

「ない」

「はい。……え？」

思わずうなずいてから聞き返すと、店主はなにを当たり前のことを聞いてるんだ、とでも言いたげに首をひねった。

「通常客にはあるが、君にはない」

「それって……」

「すぐに出すから」

くるりと背を向けてしまう店主に、さすがにムッとする。キッチンカーを利用したことはないけれど、イベント会場で見かけたことくらいはある。もっと愛想がよくてニコニコとしている印象なのに、ここの対応はまるで違う。

ひょっとして閉店間際だったのかもしれない。だとしたら不機嫌になるのもわかる。

ふと、香ばしい香りが鼻腔（びこう）をくすぐった。懐かしくてあたたかい香りが記憶の箱をつついている。

これは……アジの干物を焼く時のにおいだ。コンロがあると思われる場所から、白い煙が生まれている。

「ああ……」

思い出した。家族揃（そろ）っての最後の食事は、私が大学に行くために家を出る日の朝だ。たしか、日曜日だった。

その日はやけに寒い朝で、震えながらキッチンに顔を出した。暖房の効いたキッチンで『おはよう』と母はさみしげに言った。新聞を傍らに置いた父も同じように挨拶をくれた。

普段は朝食を摂らない派の兄もテーブルに座っていた。

また家族全員で食事ができると信じて疑わなかった。だから私はちっとも沼津に帰らなかった。両親が亡くなったあと、どれほど後悔したかわからない。

「どうぞ」

目の前に湯呑が置かれた。お茶じゃないことは柑橘の甘酸っぱい香りですぐにわかった。

フーフーと湯気を吹き、ひと口飲んで驚く。

「これ、レモネード茶ですか？」

「正確には、【西浦レモネード】を使ったお茶だ」

沼津市西浦という場所で作られている果物の名前だ。叔父さんの農園で栽培している西浦レモネードを、母はよく譲ってもらっていた。皮を剝けばそのまま食べられ、レモンのような酸っぱさとミカンの甘味が合わさったような味の果物。

母は果汁をお茶で割るのが好きだった。まったく同じ味に驚きを隠せない。

「どうしてこれを……」

「お待たせしました」

　私の質問に答えることなく、男性がお盆を差し出した。受け取ると、そこにはあの日の朝食が置かれていた。

　アジの干物のおにぎりがふたつ、だし巻き卵とエビの味噌汁。黒色の陶器に盛りつけられた料理に言葉が出ない。

　旅立ちの日のメニューとなにもかも一致している。

　聞きたいことはたくさんあるけれど、気がつくと両手を合わせていた。

「いただきます」

　かすれる声に、店主がひとつうなずくのが見えた。

　ひょっとしたらこれは夢なのかもしれない。もしくは死ぬ前に思い出の料理を出してくれる神様なのかも。

　先ほどの無礼さを忘れ、ありがたささえ感じながらおにぎりを手に取る。巻かれている海苔よりアジのかおりのほうが勝っている。

　ひと口食べればほろほろと口の中で米が崩れ、アジの脂もじわりと広がる。

『埜乃がいなくなったらさみしくなるわね』

　母の言葉が聞こえた気がした。

『四年なんてすぐだ。気にせず行ってこい』

力強い父の声。

もう二度と会えないふたりの声が、風に乗って耳に届く。

視界が揺れたと思った直後、頬に涙がこぼれていた。

「え……」

驚いて頬に手を当てると、熱い涙が指先に触れた。

あんなに泣けなかったのに、どんどん涙が頬を伝っていく。北風の冷たさを涙の温度がほどいていくようだ。

味噌汁を口に運ぶ。エビの出汁（だし）が味噌に溶け、ほのかな甘さを感じる。具材は白菜のみ。これも母が作った料理と同じだ。

悲しみや怒り、もどかしさや苦しみ。いくつもの感情が涙になって体から抜けていく。

「君は――」

声に顔をあげると、店主が腕を組んだポーズで見下ろしていた。

「死についてどう思う？」

「え？」

だし巻き卵を箸で割ると、ほわんと甘い湯気が浮かんだ。

そのままの姿勢で固まっていると、

「じゃあ、これまでに死にかけた経験は？」

店主は質問を変えた。だし巻き卵に目を落としたまま口を開く。

「一度だけ、あります。大きな事故に遭って……」

電車のブレーキ音が聞こえた気がした。どうして私だけ助かってしまったのだろう。一緒に死んでいたならこんな気持ちにならずに済んだのに……。

「その時の恐怖に耐えられると思うなら、死ぬのを止めたりしない」

顔を上げると、意外にもやさしい瞳がそこにあった。が、それも一瞬のことで、
店主は右手をひょいと差し出した。

「先にお代をいただいておく」

「あ、はい……」

「税込みで千円だ」

バッグから財布を取り出すと、紙幣の間にバスの乗車券の領収書が二枚あった。

沼津に帰るたびになにかを失って戻って来る。

だし巻き卵を口に運ぶと、また涙があふれた。

千円札を受け取ると、もう私に興味を失ったように店主は洗い物をはじめた。死がその輪郭を濃くし、私を誘っている。身を任せてしまいたいけれど、懐かしい料理がまるで引き留めているように思えた。

ふたつの気持ちがせめぎ合い、やがて頭を支配していた死が消えていくのを感じた。まるで霧が晴れるように、海底から浮かび上がるように、だんだんと気持ちが軽くなっていく。

耳を冷やす冷たい風、枯れ葉が地面をこする音。なにもかもが、生きていることを実感させてくれているようで。

食べ終わる頃には心がポカポカと温かくなっていた。

お礼を言おうと立ち上がるが、店主の姿が見えない。いつの間にかキッチンカーから降りたらしく、車両の後方からぬっと姿を現した。

キッチンカーのなかにいるとわからなかったが、私よりかなり背が高い。朱色の腰エプロンをつけている。

その時になって気づいた。エプロンの紐にキーホルダーがつけてある。見たことのあるキャラクターだけど名前までは知らない。犬と猫をミックスしたようなキーホルダーだった。

私の視線に気づいたのだろう、店主がエプロンの前ポケットにキーホルダーを入れた。

「行くのか？」

「はい。ごちそうさまでした。元気をもらった気分です」

自然に笑みがこぼれていた。が、店主はなぜか不審そうに眉をひそめてしまう。

……なにかおかしなことを言ったのかも。

「すごく美味しかったです。また食べに来ますね」

頭を下げるが、店主は先ほどよりも眉間にシワを深く寄せている。

歩き出せば、さっきより足が軽くなっている。それ以上に、寒さを感じないほど心があたたかくなっている。

ふり返ると、店じまいをするらしく、照明が消されたキッチンカーは夜に沈んでいる。

不思議な人だった。まるで夢の出来事のように思える。『死にかけた経験は？』なんて普通、初対面でしかもお客さんには聞かないだろう。

だけど……店主と話をしてわかったこともある。

あの事故は、私の大切な両親の命を奪い去ってしまった。きっと同じタイミングで私の心も死んでしまっていた。感情を言葉にすることに怯え、言いたいことを言わずに生きてきた。

だけど、これじゃあ両親に心配をかけるだけ。

体の死は取り戻せなくても、心は気持ち次第では生き返らせることができるかもしれない。

「お父さん、お母さん、私……ちゃんと生きていくからね」

決意を胸に顔を上げると、折れそうなほど細い月が空に浮かんでいた。


翌週の日曜日は、前日までの雨も上がり晴れていた。

昼過ぎに家を出て駿府城公園前でバスを降りる。今日は冬物のコートもいらないくらいあたたかい。

セノバのビルに入ると、すごい人でにぎわっている。

不思議と気持ちは落ち着いていた。髪も服装も適当だし、メークだってサッと済ませてある。気合いが入っていない自分がなぜか誇らしい。

メガネ屋で時間をつぶしてから、三階にあるフードコートへ向かった。もうすぐ二時というのに、混み合っていて空席を探すのも大変なくらい。

スマホを見ると、剛からＬＩＮＥが届いていた。

『たこ焼き屋の近く　窓側の席』

そっけないメッセージは昔から。いつからか絵文字すら打ってくれなくなったし、私も選ばなくなっていた。

『コーヒーを買ってから向かいます』

『シェイク頼んでいい？』

私たちの関係は終わったというのに、平気でこんなことを頼んでくる彼。気を遣わないところが好きだったけれど、今になれば無理してそう思い込んでいただけなのかも。

ファーストフード店の列に並び、ホットコーヒーとコーヒーシェイクをオーダーした。品物を待っている間、ふとあのキッチンカーを思い出した。

夜の中に浮かんでいるようなキッチンカーで食事をして以来、心がどんどん元気になっていくのを実感している。私にまとわりついた死の呪いを解き放ち、こうして彼に会う勇気をくれた、そんな気分だ。『ＦＩＮＥ』という店名のとおり、食べた人を元気にしてくれる店なのかもしれない。

トレイごと品物を受け取り、フードコートの奥へ足を進める。たこ焼き屋の左奥にはいくつものテーブルが並び、窓側には湾曲したカウンターが設置されている。四人掛けのテーブルに剛がいた。彼の横に菜絵が座り、メークを直している。

失ったんじゃない、私が手放すんだ。そう自分に言い聞かせた。

「ごめんね、急に呼び出して」

シェイクを剛に渡して前の席に着くと、あからさまに菜絵は顔をしかめている。

久しぶりに見る剛は、前より髪が伸びていた。彼が苦手だと言っていた茶色をふんだんに使ったセーターは、菜絵からのプレゼントなのだろうか。

シェイクをひと口飲んだあと、剛は目を丸くした。

「やっぱりシェイクはコーヒー味だよな」

顔をほころばせたあと、居心地が悪そうに剛は椅子に座り直した。

「そんなのいいからさあ」

菜絵がそっけなく言い、私の足元に目をやった。

「剛の荷物ってどこにあるの？」

先週、荷物を返却したい旨を、菜絵を通じて剛に伝えてもらった。ゲームソフトや上着も必要だろうが、それよりも彼が愛用していた自慢の腕時計がうちにあった。

最後に五分だけ話をしたい。そのあとは一切関わらない。

その約束をした上で剛にここまで来てもらった。もちろん、菜絵の同伴は予想していた。

「荷物は宅配便で送ったよ。明日には届くはず」

「は？　ならわざわざ来なくても済んだ話じゃん」

薄ら笑いの菜絵にうなずいてから、剛に視線を向けると彼はサッと視線を逸らした。

そっぽを向いたまま謝罪を口にする剛。

「いろいろ……ごめんな」

ケンカした時、いつもそんなふうに謝っていた。忘れていたけれど、浮気疑惑も何回かあったな……。ううん、忘れようとしていただけだ。

「ちょっと、なんで剛が謝るのよ」

かつて親友だったはずの菜絵が不服を口にした。変わらぬ友だちでいたい、という想(おも)いは一週間で失(う)せてしまったらしい。

五分は短い。バッグから封筒を取り出してふたりの前に置いた。剛が手にするより先に菜絵が奪い取り中身を確認した。三つ折りの用紙を見た菜絵が目を大きく開いた。

「なによこれ。慰謝料請求ってなんのこと？」

「え、慰謝料⁉」

剛が用紙を確認している間、菜絵はじとっと私をにらんでいた。

「婚約期間中の一方的な破談は、婚約不履行っていって慰謝料発生の事案になるの」

菜絵を無視して剛に話すが、文書を目で追うことで精いっぱいの様子。

「ちょっと」と、菜絵がドンとテーブルを叩いた。

「両家の顔合わせをする前に別れたんだから婚約前でしょ。なに言ってんのよ」

読み終えた剛がテーブルに用紙を置いた。その瞳が不安げに揺れている。

「両家の顔合わせはしてないけれど、プロポーズも受けてるし、式場も婚約指輪も予約している。婚約成立とみなされる可能性が高いんだって。弁護士さんに聞いたから間違いないよ」

「な……なに？　だからって百万なんて高すぎでしょ！」

狼狽を隠せない菜絵の横で、剛は苦しげにうつむいている。

菜絵の言っていることは正しい。婚約不履行の慰謝料は場合にもよるけれど、兄が言っていたとおり低いことが多いそうだ。ましてや、私たちの関係が、婚約中だと認めてもらえない可能性もある。

剛はこれまでのように反省している顔を作り、許しを求めてくる。

「埜乃、頼むよ。金がないこと、知ってるだろ？　式場のキャンセルだってあるし、指輪も――」

菜絵が制すように剛に視線を投げた。きっと婚約指輪のサイズを変えて再利用するつもりなのだろう。

「私ね」とふたりの顔を交互に見据た。

「結婚できないって言われてから、海の底に落ちたような気分だったの」

被害者になるのは簡単だ。だけど、あの夜、キッチンカーで思い出の料理を食べてから、海上に向かって浮遊する感覚が続いている。

水面に近づくにつれ、自分に見えていた世界が偏っていたことに気づいた。

私だって沼津に行くのを躊躇（ちゅうちょ）していたし、仕事のせいにして予定をキャンセルしたこともあった。彼はただ甘えたかっただけなのに、男らしさを押しつけたこともあった。

「でも気づいたの。剛のせいだけじゃない。私も、ちゃんと向き合えてなかったと思う」

用紙を封筒に入れ、バッグの中に戻す私を剛は意外そうな顔で見ている。

「埜乃……」

本当はもっと苦しめたかった。でも、そんなことをしても意味がないと今わかった。

「は⁉」

「慰謝料請求なんてしないよ。ちょっと脅かしたかっただけ」

今度こそ大声で菜絵が叫んだ。顔を突き出す菜絵の肩を、剛がつかんだ。

「やめろ」

「埜乃、私たちのことバカにするためにここに呼んだんだよ！　そんな――」

「やめろよ！」

剛が声を荒げるのを見て、もう十分だと思った。復讐(ふくしゅう)なんて私らしくない。それよりも、早く海面から顔を出し太陽の光を浴びたい。

顔を真っ赤に染める菜絵に、「大丈夫だよ」と告げた。

「約束どおり、もう二度とふたりの邪魔はしないから」

「……ならいいけど」

剛はぽかんと惚(ほう)けた顔で私を見ている。これが最後に見る彼の顔なんて、少し笑えた。

「今までありがとうとか、幸せになってとかは言わないよ。じゃあね」

立ち上がると、窓からの光はすでに傾きかけている。まぶしさに目を細め、歩き出す。

ざわめく人々の声が、拍手のように耳に届いている。

セノバのビルを出たのは二時間後のことだった。

五階にあるラジオのオープンスタジオで番組を観覧したり、隣にある書店で小説を選んでいるうちに時間が過ぎてしまった。

空には夕焼けが朱色を広げている。うろこ雲が運ぶ冷たい風が秋の終わりを教えてくれる。

コートを着てあのキッチンカーが出店していた場所を目指す。もう一度食事をしたいし、店主である男性にも改めてお礼が言いたかった。

『料理のおかげで目が覚めました。生きる希望を取り戻しました』

そんなことを言われても困るだろうけれど……。

空き地には先日と同じ場所にキッチンカーが停まっていて、店主が跳ね上げ式のドアを開けているところだった。夕方から営業をするだろうという読みは当たっていたことになる。

先日着ていた作務衣とは違い、板前さんが着る調理白衣を身に着けている。胸元には紺色のネクタイが結ばれていた。前に見た時とずいぶん恰好が違う。

が、腰ひもには前回と同様、犬と猫を合わせたようなキャラクターのキーホルダーがぶら下がっている。

「こんにちは」

声をかけると同時にふり向いた店主は、私を見て絶句した。切れ長の目が大きく見開かれている。

「なんで……？」

かすれた声で尋ねた店主に、エコバッグを少し持ち上げてみせた。

「買い物に行ってました。開店は何時からですか？」

覚えていてくれたことがうれしくて、自然に笑みがこぼれてしまう。反して店主はますます難しそうな顔になってしまう。

「なんで生きているんだ？」

「え？」

今、なんて言ったの？

聞き間違いかと思い近づこうとすると、店主は手のひらをパーの形にして制止してきた。もう片方の手で白い帽子を取ると、店主はゆっくりと私に視線を向けた。

想像よりも長い前髪が風にあおられサラサラと泳いでいる。

夕焼けを背負うような恰好でしばらく黙ったあと、ゆっくりと店主は手を下ろした。

沈黙が風の音を助長させる。どれくらい時間が経ったのだろう、闇が近づく中で彼は言った。

「今から時間、ある？」

「え……はい」

「今日は食事を提供できないが、店の中で話をしたい」

キッチンカーに目をやる店主に、迷うことなくうなずいていた。

案内されるまま後方部のドアから中に入ると、店主が照明をつけてくれた。

想像以上に広いスペースに驚いた。カウンター手前には二口のコンロが設置されていて、片方の鍋でお湯がグツグツと沸いている。カウンターの下には作業スペースとシンク、食器洗い乾燥機まである。右奥にはキッチンカーにはふさわしくない大型の冷蔵庫があり、メモ用紙がたくさん貼り付けてあった。

背面には大きな棚があり、食器や調理器具、調味料が並んでいる。足元は野菜類の収納に使っているらしい。

「広いですね」

素直に感想を言うが、店主は考えごとをしているらしくなにも答えない。しばらくして帽子を被った店主は、手を洗ったあと野菜庫から太いレンコンを取り出した。

水で洗ったあとスルスルと包丁で皮を剝いていく。

見事な手さばきに見惚(みと)れていると、急にその手を止めた。

「神代悠翔(かみしろゆうと)」

そう言ったあと、再び作業に戻る。自己紹介だと気づき、慌てて頭を下げた。

「私は……季俣埜乃です」

「季俣、埜乃」

くり返したあと、悠翔さんは私に目を向けた。

「ここは少し変わったキッチンカーなんだ。普段は日本料理を提供しているが、今日は違う」

「予約をしている方がおられるのですか？」

「予約は入っていないが、七時頃、高齢の女性が訪れるだろう」

不思議な話でもすんなり受け入れられるのは、ここの料理を食べたことがあるからだろう。

うなずく私に、悠翔さんは銀色のボウルを取り出した。

「レンコンをすり下ろして」

「私がですか？」

当たり前だろ、と言いたそうな顔ですり下ろし器とレンコンを渡してくる。

「なるべく細かくすり下ろしてほしい」

「わかりました」

ひとり暮らしが長いのでそれなりに料理はしてきた。けれど、レンコンをすり下ろすのは初めての経験だ。

水分の多いレンコンに苦戦しながらも、少しずつすっていく。その間に、悠翔さんは冷蔵庫から取り出したミンチ肉をボウルに移し、調味料を加えてこねていく。

「これから来店する女性の、人生最後に食べる料理がこれになる」

「……え？」

「いわば最後の晩餐だ。人生の旅の最後に、思い出の料理を出すことが俺の役目なんだ」

　ぽかんとしている間に、悠翔さんはすり下ろしたレンコンの入ったボウルを受け取ると、裏ごしをしてからミンチ肉と混ぜ合わせる。手際が良く、あっという間に小ぶりのハンバーグのようなものが形成されていく。通常のそれより小さめのサイズだ。

　どうして最後の食事だとわかるんですか？

　尋ねたい気持ちをグッとこらえる。それは、悠翔さんが真剣に料理と向き合っていることが伝わったきたから。

「そこの茶葉が入った缶を取って」

　悠翔さんの指さす棚に、いくつかのお茶缶が並んでいる。手を伸ばしたとたん、指先が触れいくつかが床に落ちてしまった。

「あっ、ごめんなさい！」

　昔からよく物を落とすクセがあった。慌てて拾うが、悠翔さんはチラッとこっちを見ただけでなにも言わなかった。

　悠翔さんみたいにちゃんと集中しないと……。

スマホの時計ではもうすぐ七時になる。悠翔さんはミキシングした茹でたほうれん草を裏ごししている。

予約をしていないお客さんが本当に来るのかな……。

通りに目を向けると、タクシーがハザードを出して停車するのが見えた。恰幅のいい男性と中年の女性が降り、最後に杖を手にした女性が緩慢な動きで降り立った。

「ちょっとお母さん。本当にここで合ってるの？」

中年の女性がいら立ちを隠せないように私たちのほうに目を向けた。毛皮のコートを着ていて年齢は五十歳くらいだろうか。

「間違いないんだよな、母さん？」

男性の問いに、高齢の女性がうなずく。

「えー、本当にここで食べるの？」

「姉さん、声が大きいって」

母親と姉と弟。この三人は家族なのだろう。

迷うことなく杖をつき歩いてくる女性に、ふたりも渋々ついてくる。小柄で上品そうな母親がキッチンカーの明かりに照らされた。

年齢は八十歳くらい。暖かそうなコートを着ているけれど、その下はどう見ても病院着に見える。両方の鼻から管が伸び、男性の持つカートにつながっていた。祖母が使っていたので見覚えがある。あれは、携帯用酸素ボンベだ。

「ここでいいんだよ」

初めて聞く母親の声は、驚くほど小さかった。

「開いてますか?」

男性の問いに、悠翔さんが「ああ」とうなずいた。

「埜乃、表に電気ヒーターがあるからつけて」

「……はい」

名前を呼び捨てにされたことに驚いてしまい、返事が遅れた。

キッチンカーから降り、客席に回るとパネル式の電気ヒーターが左右にひとつずつ置いてあった。丸椅子に左から、姉、兄、そして母親の順に座った。いちばん右の席には酸素ボンベのカートが置かれたので、熱が当たらないようにヒーターの位置を調整する。

「やっぱり無理よ」女性が母親に視線を向けた。

「お母さん、固い物は食べられないじゃない。それにこの数日は点滴だったでしょ。ねえ、帰りましょうよ」

男性も同じ意見らしく、大きくうなずいた。

「こんな寒いところにいたら風邪を引いてしまう。明日は行政書士さんも来るんだし、帰ろう」

が、母親はかたくなに首を横にふるだけ。

キッチンカーに戻ると、悠翔さんは黙々と料理をはじめていた。

「お茶とおしぼりを出して」

「はい」

食器棚から急須と湯呑を取り出し茶葉を入れる。やかんで湯を沸かしていると、男性が不思議そうに首をかしげた。

「まだ注文してないんだけど。メニューってないわけ？」

「ない」

ふた文字で悠翔さんが答えた。

「聞いてただろ？　母さんは嚥下食（えんげしょく）しか食べられないんだ。明日は大切な日だし、食べ物が詰まりでもしたら困るんだよ」

不満を言う男性に、姉と思われる女性がせせら笑う。

「困るのはあんたのほうでしょ。このままじゃこの土地は二分割されちゃうもんね。

なにが行政書士よ。ぜんぶ自分の物にしたいだけじゃない」

「それは何度も話し合っただろ。実家は姉さんの物になるんだしいいじゃないか」

「あんな田舎の土地もらってもうれしくないわよ。だいたい、家の取り壊しにいくらかかると思ってるの？　長男なら実家のほうを受け継ぐべきでしょうに」

差し出したお茶を乱暴に受け取ると、女性は「それに」と続けた。

「こっちは弁護士を雇ってるんだからね。この土地だけは絶対に渡さないから」

この土地？　ということは、母親がこの空き地のオーナーなのだろうか？

「母さんが死んだら調停で決めるしかないな」

不機嫌そうな声でうなる男性を無視して、女性は母親に視線を向けた。

「とにかくお母さん、もう病院に戻りましょうよ。私、こんな店で食べたくないわ」

母親はゆっくり首を横にふる。薄暗い照明の中でもわかるほど、その顔色はすぐれなかった。

悠翔さんがさっき言っていた『人生最後に食べる料理』が本当のことなら、彼女はもうすぐ亡くなってしまうことになる。

いや、それだとおかしい。あの日私に出されたのは間違いなく思い出の料理だった。なのにこうして生きているではないか。

「お待たせしました」

悠翔さんの声に我に返った。お盆の上に三人分の料理が完成している。薄い湯気を立てている料理は、全粥（ぜんがゆ）、餡（あん）のかかったレンコン団子、そして味噌汁だった。

「あんたのぶんの味噌汁はとろみをつけてるから」

母親の前にトレイを置く悠翔に、女性がムッとした顔をした。

「あんたってなによ！」

「うるさいな。別にお前のために作ったわけじゃない。いらないなら食べなくていい」

「おま……お前ですって⁉」

慌てて女性の前にお盆を置くと、彼女の表情が変わった。

「あれ、これって……」

「どっかで見たことあると思ったらレンコン団子じゃないか」

男性が目を輝かせている。

母親はシワだらけの目を細め、じっと料理を観察したあとスプーンをおぼつかない手つきで持った。

レンコン団子はスプーンを置いただけですっと割れ、餡がほろりと零（こぼ）れ落ちた。

よく見ると、母親の料理だけは飲み込みやすいように、ペースト状に作られているようだ。

口に運ぶと母親は目を閉じて咀嚼しはじめ、やがてニッコリと笑った。合格、ということらしい。

が、次の瞬間、思ってもいないことが起きた。母親のふたつの瞳から大粒の涙がこぼれたのだ。本人も驚いたらしく、信じられない顔で頬に手を当てている。

……あの夜の私と同じだ。ここで料理を食べた途端、意識せずに涙が出たことを思い出した。

子供たちは母親の異変に気づかず、スプーンを手に食事を口に運んだ。

「懐かしいな。母さんのと同じ味だ」

目を輝かせる男性に反し、女性はひと口食べて苦い顔を作った。

「私、これ大嫌いだったのよ。子どもの頃の嫌な記憶がよみがえるわ」

男性も女性も涙を流してはいない。

母親はこぼれる涙をそのままに食事を進めていく。そのたびに徐々に顔色がよくなっていくのが目に見えてわかった。

ある程度食べ進めたところで、母親が急にスプーンを置いたかと思うと背筋をグンと伸ばした。乱れた髪を指先で整えると、悠翔さんと私を交互に見てきた。

「今日はありがとうございます。私は秋山実子と申します」

さっきまでの弱々しい声ではなく、お腹に力が入っているのがわかる。食べているふたりも相当驚いたのか、スプーンを持ったままフリーズしている。

「長女の梨穂と長男の豊です。夫は豊が生まれてすぐに行方不明……女性と逃げました」

「お母さん！　なんでそんなことを言うのよ!!」

慌てる梨穂さんのほうを見ようともせず、実子さんは続けた。

「レンコン栽培をして生計を立ててきました。女手ひとつ、泥まみれで大変でしたが……それでも幸せでした」

「じゃあこの土地は？」

悠翔さんの質問に、実子さんはゆっくりとうなずいた。

「今から五年前くらいでしょうか。逃げた主人が亡くなったと連絡がありました。浜松市にある狭いアパートでひとりで亡くなっていたそうです」

「遺産としてこの土地があったってことか」

「ええ」と実子さんは目を細めた。

「元々はあの人の父親から受け継いだ土地だったそうです。とっくに売却したと思っていたのに、争いの種になるような物を残して……。最後までダメな人でした」

お茶を飲んだあと、実子さんは隣のふたりに体ごと向いた。

「梨穂、豊、よく聞きなさい。この土地を巡って姉弟で対立するなんて、お母さん本当に情けない。そもそも遺言状であの人は私だけを指名しているのよ」

「でも……」

言い返そうとした梨穂さんに、

「でもじゃない」

実子さんはピシャリと言った。

「亡くなったお父さんがくれた土地だ、って言いたいんでしょう？　でも、あの人はあなたたちに一度も会おうとしなかった。それでも父親だと言えるの？」

「い……言えるさ」

オドオドとした口調で豊さんが反論した。

「俺は父親の顔も知らない。せめて土地くらいは受け継いだっていいじゃないか。実家は姉さんにやるからさ」

「なんでそうなるのよ！　お母さんからも長男なら家を守れって言ってやってよ。

ここは私がちゃんと管理するから」

「はあ？」カシャンと食器が音を立てた。

「姉さんは昔っからそうだ。普段はエラそうなくせに、こういう時だけ長男長男って押しつけてくる。いい加減にしてくれ！」

「実際そうなんだからしょうがないでしょ！」

ヒートアップするふたりを、悲しみに満ちた瞳で実子さんは見ていた。なにか声をかけてあげたいけれど、私に言えることなんてひとつもない。

その時だった。

「うるさい！」

爆発音のように怒鳴り声が響いた。驚いて悠翔さんを見るが、怒鳴ったあとだとは思えないほどクールな顔をしている。

「ここは食事をする場所だ。うるさくするならふたりとも帰ってくれ」

けれど、ふたりには逆効果のようだった。特に梨穂さんの怒りは大きいらしく、顔を真っ赤にして立ち上がった。

「あなたには関係ないことでしょう？　いいわよ、お母さん病院へ帰りましょう」

「そうだよ。こんなところで食べる必要ないよ」

豊さんも席を立つと実子さんの腕を取った。が、実子さんはその手を軽くふり払った。

「食事も話も終わっていない。ふたりとも座りなさい」

静かな声に、ふたりは不本意な表情を貼りつけたまま椅子に戻った。

味わうように残りの食事をすべて食べたあと、実子さんはお茶を飲んだ。

「店主さんのお名前を教えていただけますか？」

「神代悠翔」

実子さんは嚙(か)みしめるようにうなずいてから、今度は私に視線を向けた。

「季俣埜乃と申します」

「悠翔さんと埜乃さんね。不思議ね。病院で横になっていたら、どうしてもここに来たくなったのよ」

「ここはそういう所だからな」

そっけない悠翔さんに、実子さんはクスクス笑った。

「食べてすぐにわかったの。この食事の持つ意味を」

それから実子さんは改めて子どもたちに顔を向けた。

「あなたたちを育てることは大変だったけど楽しかった。レンコンを栽培している水は冷たくて、入るたびに泥まみれになった。それでも必死でやってきたことに悔いはないの」

「母さん……」

豊さんが眉をハの字にした。

「豊は昔から甘えん坊で、だけどレンコンの苗植えとかは一生懸命手伝ってくれたね。レンコン畑で見た夕日がきれいだったことを今でも覚えているわ」

過去を見るように宙を眺めたあと「梨穂」と娘の名を呼んだ。

「しっかり者で豊の面倒を見てくれたよね。お姉ちゃんだから、って役割を押しつけたこと、申し訳なく思ってるのよ。本当はもっと甘えたかったよね？　もっとあなたを抱きしめてあげればよかった、って今でも後悔してるのよ」

梨穂さんはなにも言わず、ギュッと唇を嚙みしめている。

そして、実子さんは安らかに言った。

「私はもうすぐ死ぬでしょう」

「……え？」

視線をせわしなく揺らせた梨穂さんに、実子さんはうなずいた。

「私がいちばん悲しいのは、遺産を巡ってあなたたちの仲が悪くなることなのよ。

ふたりきりの姉弟なんだから、これからも力を合わせてやっていってほしいの」

伝えたいことは大声では伝わらない。静かな声はふたりにも届いたらしく、母親に叱られた子どものようにうつむいている。

「すでに弁護士さんに遺言書を預けてるの。私が死んだらこの土地も実家も売却してもらうことになっているから、それをふたりで公平にわけてちょうだい」

立ち上がった実子さんが、私に五千円札を渡してきた。

「これで足りるかしら」

「あ、あの……」

悠翔さんが隣でうなずいたので「はい」と答えると、実子さんは酸素ボンベの入ったカートを手に深く腰を折った。

豊さんがアプリでタクシーを呼び、その間に梨穂さんは料理をすべて食べ切った。

表に出てふたりで見送るまでの間、私はまた夢を見ているような不思議な感覚に包まれていた。

「よし、閉店するか」

悠翔さんが背伸びをした。

「あの……悠翔さん。さっき、最後の晩餐を出すって言ってましたよね？　それって心の死を迎えた人に出す食事のことですか？」

「は？　そんなわけないだろう。言葉通り、最後の晩餐。人生最後に食べる食事のことだ」

「実子さんは……今夜亡くなる、ということですか？」

「点滴で数日持つだろうし、今夜亡くなるとは限らない。ただ、口から食べるのは最後だったってこと」

「ここが人生最後に食べる料理を出すキッチンカーだからですか？」

「そうだ」

「どうしてそのことがわかるのですか？」

「質問ばっかりだな」

呆れた顔の悠翔さんが、ふんと小さく鼻から息を吐いた。

「この店の名前を知ってるか？」

「ＦＩＮＥ――ファインですよね」

「英語ならそうだろうが、イタリア語ではフィーネと読む。『終わり』という意味だ。理由はわからないが、なぜか亡くなる人の名前や亡くなる場所、最後に食べたい料理がわかってしまうんだ。だから、最後の食事を提供したくてこの店をやっている」

不思議な話でも、悠翔さんが言うなら本当に思えた。でも、さっきは三人とも同じ食事を食べていたはず。ということは三人とも亡くなってしまう……？

難しい顔をしていたのだろう、悠翔さんが「ああ」とうなずいた。

「涙だよ」

「涙……」

「最後の食事を食べた人は、これまで背負ってきた重荷をおろすことができる。長い人生の旅の終わりを受け止めるように、必ず涙を流すんだよ」

「じゃあ、息子さんや娘さんは亡くならないということですよね？」

「そういうことになるな」

なるほど、とうなずいてすぐに疑問がまた生まれる。

「私もあの日、食事を食べたとたん勝手に涙がこぼれました。最後の食事を食べた私がまだ生きているのはどうしてですか？」

質問してから気づいた。死んだはずの私が現れたから、あんなに悠翔さんは驚いていたんだと。

「俺にとっても初めてのことだから説明できない」

「そうですか……」

あごに手を当て、悠翔さんがチラッと私を見た。

「ところで埜乃は仕事、してるのか？」

「今は有給休暇中で……今月末で退職する予定なんです」

そうか、とうなずいたあと、悠翔さんは思案するように夜空を見上げた。空には半月が光っている。

「これまで最後の食事を提供してきた人は、みんなその後亡くなっている。なぜ埜乃が生きているのかについては実に興味深い」

「私も不思議です」

「だったら」と言ったあと、悠翔さんは私に顔を向けた。

「ここで働いてみないか？」

サラサラとした光が悠翔さんに降り注いでいた。まるで月光浴をしているようで、美しささえ感じる。

ここで働く……。考えてもいなかったのに、まるで人生の新しい道しるべのように思えた。

返事をした私に、彼は口角をわずかに上げてくれた。

幕間　神代悠翔

生まれた瞬間から、人には寿命がつきまとう。

全うできる人ばかりじゃなく、ある日突然消えることだってある。

俺たちは、死ぬために生きている。

だから、何人見送ってきても平気なはずだった。

「ここで働いてみないか？」

そう尋ねた俺に、君は迷うことなくうなずいた。

自分から誘っておいたくせに、少し驚いてしまった。

「よかったんだよな？　これで」

腰ひもにつけたキーホルダーに話しかけても、当然だが返事はない。

そっと表面に触れてからポケットにしまう。

人生最後の食事を提供するキッチンカー。
なのに、君は生き延びるだけじゃなく笑顔まで取り戻した。
漠然とだが、俺には君が死ななかった理由がわかる気がする。

君はいつか思い出すだろうか？
五年前の事故の時に、俺と会っていたことを。
ふたりが壊れるほど泣いた、あの夜のことを。

第二話

冬に咲く花

河津町

北川雪音（二十七歳）

『雪が降る日に生まれたから、『雪音』という名前をつけたんだ』

幼い頃、父が話してくれたことを覚えている。

父の古い手帳には、候補の名前がいくつも記してあった。『雪乃』『心雪』『美雪』。ほかにも書いては消してをくり返した跡がある。右下に記してある『雪音』の文字の上には大きくマルがつけられていた。

父との最後の記憶は、小学五年生の夕暮れ。長い出張のため不在だった父の車が、駐車場に停まっていた。うれしくて、駆け足で玄関に向かうと目の前でドアが音もなく開いた。

久しぶりに見た父は、長旅で疲れた顔をしていたけれど、どこかサッパリしたようにも見えた。

「お父さん、お帰りなさい」

が、父はそれには答えず、お気に入りの帽子を目深にかぶった。

遅れて出て来た母は、片方のサンダルを履いていない。普段はそういうことにうるさいのにどうしてだろう。

「お父さん、出ていくんだって」

今、帰って来たばかりなのに？

驚く私に、母は顔をゆがめて続ける。

「お母さんたち、離婚するのよ。勝手に好きな人を作って一年も別居した上に、今度はその人と結婚するんだって」

お母さんの声は震えていた。なに言ってるの、父は沼津市に長期出張だったはず。

父は苦い顔のまま私の横を通り過ぎた。

「お父さん？　ねえ、お父さん！」

追いすがる私を無視して、お父さんは車の荷台にトランクを投げた。

そんなの嘘だよね。お父さんとお母さんが離婚するなんて、嘘だよね？

けれど父は私を拒絶するように運転席のドアを閉め、車を発進させた。泣きじゃくる母に私は何度も『大丈夫』と言った。

きっとすぐに父は帰ってくる。またみんなでこたつを囲んで笑える日が来るはず。

けれど、私が父に会ったのはそれが最後だった。苗字が変わり、季節がいくつ巡っても父には会えず、電話すらないままだった。

中学生になったある日、やっとわかった。

父に会うことは、もう二度と叶わないのだろう、と。


「雪音ちゃん」

厨房の掃除をしていると、オーナーの伊佐木さんが私を下の名前で呼んだ。

普段は『北川さん』と呼ぶのに、頼みごとがある時はいつもそう。シンクを拭きながら顔だけ向ける。

「悪いんだけど、用事を頼んでもいい？」

自慢のあご髭をなでる伊佐木さんに、聞こえるようにため息をつく。

「今日は無理」

「そこをなんとか。残業代はちゃんと払うからさ」

「すでに残業中なんですけど」

伊佐木さんが壁時計を見て苦い顔になった。時計の針は夜の八時を指している。

この旅館に勤めてもうすぐ五年になるが、伊佐木さんとの関係はもっと長い。父親の親友だった伊佐木さんは、今年で五十四歳のはずだけれど、白髪に近いオールバックのせいでもっと年上に見える。メタボ体型まっしぐらで常になにかを食べているイメージだ。

生まれた時から私は河津町に住み続けている。伊豆(いず)半島の右下にあり、冬の終わりに咲く河津桜で有名な場所だ。

私の働く旅館も同じ町にあり、今井浜(いまいはま)温泉という名で知られている。といっても、伊豆半島にはたくさんの温泉地があるので埋もれがちだが、ひいき目に見てもうちの旅館の質は高い。

坂道の上にある古い旅館の名は『海の宿　ほのか』。木造二階建て、客室七部屋の小さな旅館だから、案内や配膳に掃除、会計までやることは盛りだくさん。伊佐木さんは調理師免許を持っているので料理もこなしている。ほかには夜勤専属の社員がひとりと、パート従業員が三名いるだけ。

伊佐木さんの厚意で夜勤は外してもらっているけれど、定時で帰れることは稀(まれ)だ。

「で、どんな用事があるんですか？」

一応、という感じで尋ねると、伊佐木さんはパッと顔を輝かせた。

「どうしても観(み)たい映画があってね。調べたら今日が最終上映日だったんだよ。今から熱海(あたみ)に向かえば間に合いそうでさ」

「どうせ感動モノの映画なんでしょ」

あきれ顔で尋ねる私に、伊佐木さんはポケットからハンカチを二枚取り出して見せてきた。準備はバッチリということなのだろう。

「伊佐木さんって泣ける映画が好きだよね」

「涙活(るいかつ)は大事だよ。心がすっきりするからね」

伊佐木さんは、宿泊者サイトに寄せられたレビューにさえも感動してよく泣いている。一方の私は、最後に泣いたのがいつかさえ覚えていない。

「それにしても、雪音ちゃんも大きくなったね」

伊佐木さんが思い出話をはじめた。

「まあ、もう二十七歳だからね」

そっけなく答え、シンクを拭くが伊佐木さんは離れてくれない。

「信二(しんじ)がいなくなって、本当に大変だった。あいつがあんなひどいことをするなんてさ、親友……いや、元親友として責任を感じてるんだ」

伊佐木さんはよく父の名前を話題に出す。ちょうど思い出していたところだったので、少しだけドキッとした。

「伊佐木さんにはずいぶんお世話になったよね。母もすごく感謝してるんだよ」

「いやいや俺なんて。雪音ちゃんの家族が心配だったから、当然のことをしたまでさ」

はあ、と聞こえないようにため息をつく。伊佐木さんの『情に訴える作戦』は毎度のことだ。実際、父との離婚後、伊佐木さん夫妻にはかなり助けてもらってきた。

「わかったよ。で、なにをすればいいの？」

あきらめた私に伊佐木さんはうれしそうに頰の肉を上げた。

「二〇二号室の布団を敷き忘れてたみたいでね。さっき言われて気づいたんだけど、俺、もう出ないと間に合わないんだよ」

「二〇二って季俣さんの部屋だよね？」

「季俣さんじゃなくて、季俣様ね」

「ああ、うん。これが終わったら行くよ」

三日前から宿泊している季俣埜乃さんとは、歳が近いこともあり何度か話をしている。キッチンカーを出店しながら静岡県内を移動しているらしく、しばらくこの町に滞在するそうだ。

　用事は済んだとばかりに伊佐木さんが帰り支度をはじめた。それはそれでおもしろくない。

「ひとつ、季俣さんのことで聞きたいんだけど」

　そう尋ねると、伊佐木さんは「うん」とふり向いた。

「かわいい子だよね。静岡市に住んでいるんだって」

「そうじゃなくて、聞きたいのは料金のこと。二週間の長期滞在はありがたいけど、請求額が安すぎるんじゃない？　まさかとは思うけど、怪しい関係とかじゃないよね？」

「バカ言うな。俺は妻ひと筋だ」

　ふん、と胸を張る伊佐木さん。紺色の作務衣がはちきれそうなほど膨らんでいる。

『奥さんが亡くなってもう三年経つんだよ』と言いかけて、やめた。そんなこと、伊佐木さんがいちばんわかっていることだろうから。

　そういえば、伊佐木さんの奥さんのお葬式でも涙が出なかったな……。悲しいことがないわけじゃないけれど、涙と連動するスイッチが壊れている。そんな感覚だ。

　厨房を出て、受付の奥にあるスタッフルームへ戻る。髪とメークを直してからスマホを開くが、新しいメッセージは届いていなかった。

受付の横にある階段をのぼる。ギイギイと鳴く階段を、館内に流れるクラシック音楽が中和させてくれる。

「あ、北川さん」

一階から声をかけられてふり向くと、ふたつある貸切風呂の片方から季俣さんが出てくるところだった。

「ごめんなさい。お風呂に入ってました」

「こちらこそ、お布団を敷くのが遅くなり申し訳ありません」

慌てて出て来たのだろう、濡れた髪が照明でキラキラ光っている。部屋のカギを開けた季俣さんに続いて「失礼いたします」と部屋に入る。

和室十畳の部屋は海側に面しているけれど、夜だと暗闇が広がっているだけ。崖の上に建っているので、よほど耳を澄まさないと波の音も聞こえない。

テーブルは季俣さんが移動してくれたのだろう、部屋のはしに寄せてあった。

襖から敷布団を取り出し、シーツをかけていく。

「お風呂すごく気持ちよかったです。貸し切り風呂があるなんて最高ですね。私、温泉が好きなんです」

化粧水を浴びるように顔につけている季俣さん。

「このあたりは温泉地ですし、海沿いに行けばほかにもたくさんありますよ」

「じゃあ、仕事が終わったら温泉地を巡ろうかしら」

ほっこりとした笑みを浮かべる季俣さんが、

「立ち仕事だから足が疲れちゃって」

と、いたわるように足をさすった。立ち仕事が大変なのは私も身に染みてわかる。

「どこでキッチンカーを出店しているのですか？」

そう尋ねると、季俣さんは「ああ」とすねたような声を出した。

「せっかく河津桜が咲いているのに、悠翔さん——うちの店主のことなんだけど、『人が多いところは苦手だ』って言って、海のそばの薄暗い駐車場に出店しているんですよ」

「河津浜海水浴場のことですか？」

駅裏にある海水浴場がにぎわいを見せるのは夏場だけで、この時期は閑散としている。河津桜を見物しに来た人たちは駅の北側にあふれているから、その場所では集客が見込めない気がする。

「桜並木からは外れているし、海風は冷たいし……。役場の人も心配してくれて、『河津桜まつり』の会場にスペースを提供するって言ってくれたのに、あの人、無下に断ったんですよ」

　ぷうと頬を膨らます顔が、ノーメークのせいで二つ下と思えないほど幼く見えた。

　二月に入り河津桜は町をピンク色に染めている。河津川沿いの河畔四キロメートルにわたり、八百本以上の河津桜が並ぶ様は圧巻で、屋台やキッチンカーの出店は一年前から予約でいっぱいのはず。役場の人が出店場所を用意すると申し出たのなら、相当な特別待遇だ。

「旅をしながら回っているんですか？」

　掛け布団を出しながら尋ねると、季俣さんは首を縦にふったあとすぐに、横へふり直した。

「私、だまされたんです」

　物騒な言葉に驚いてしまうが、当の季俣さんはなぜか首をかしげている。

「だまされたというか、聞いてなかったというか……。うん、そのほうが近いかもしれません」

「え、どういうことですか？」

「静岡市内で場所を変えて出店するかと思っていたんですよ。ところが先週になって急にここに来ることを知らされて。しかも、二週間したらまた遠い所へ行くそうです。まあ、移動できるからこそのキッチンカーなんでしょうけどね」

ひとりで納得する季俣さん。たしかにキッチンカーなら、どこへでも出かけられるだろう。この町から出られない私からすればうらやましい話だ。

「店主は坂道のもっと上にある旅館に泊まっているそうです。一緒のところだとまずいから、って。そういうところは真面目なんですよね」

季俣さんがクスクスと笑った。

「どんな料理を出しているんですか？」

「普段は日本料理ですね。テイクアウトはやってなくて、その場で食べてもらうスタイルなんです」

季俣さんが言った『普段は』の言葉が気になったけれど、あまり詳しく聞いても失礼だろう。

「そうなんですね。じゃあ今度見かけたら私も——」

「ダメです」

言葉途中で拒否され、枕を持つ手が思わず止まってしまった。季俣さんは慌てた様子で、「あの」と言葉を探している。

「うちはヘンなキッチンカーなので来ないほうがいいです。店主もぶっきらぼうだし、料理も高いし」

「……あ、はい」

急な変化に戸惑うが、お客様のプライバシーを探ってはいけない。布団を敷き終え、挨拶をしてから部屋を出た。

タイムカードを押して外に出ると、隣にある総合病院から漏れる明かりを頼りに駐車場へ向かう。底冷えの寒さは何年経っても慣れることはない。

車に乗り込むとやっと息が吸えた気分になる。

人との距離感はいつも私を惑わせる。昔からそうだった。どんなに親しくなっても、近づけば遠ざかるかげろうのように、みんないなくなってしまう。

一般企業に就職せず伊佐木さんが経営している旅館に就職したのも、新しい世界を知るのが怖かったからだ。

結んでいた髪をほどき、車のエンジンをかけた。

スマホを見ると緑のランプがメッセージの着信を教えている。

『日曜日、仕事になった。ごめん。』

彼からのメッセージは日を追って短くなっていく。約束を反故（ほご）にすることですら、最近ではこんなふうにあっさりと。

『大丈夫だよ。また今度ね。』

彼よりも短い文字数で返信してから、少し後悔する。暖まっていない車内で震える指先をなんとか動かす。

『寒いから暖かくして寝てね。おやすみなさい。』

スタンプも添えれば、罪悪感がわずかに減った気がした。

坂道を下り国道を右折する。こんな時間でもレンタカーらしき車が行き交っている。

毎年二月だけ人口の増える町、それがここ河津町だ。約一カ月の期間、河津川の河畔は観光客であふれる。

右手に河津駅が見えて来た。駅前の居酒屋の前では順番待ちをしている人もいる。

信号で止まると、横断歩道を若い母親と幼い女の子が渡った。手をつなごうとする母親から逃れ、女の子がその場に座り込む。

横断歩道が点滅しても女の子は動かない。イヤイヤ期なのだろうか、抱きかかえようとする母親を全力で拒否している。泣き叫ぶ声が耳にうるさい。

「早くしてよ……」

予定があるわけでもないのに嫌な言葉がこぼれた。

親子が渡り終えるのを確認し車を発進させた。しばらく進むと観光交流館が見えてくる。とんがり頭の建物はこの町のシンボルだ。

第二駐車場に面した一軒家が私の家。夜桜を見るためだろう、駐車場にはまだたくさんの車が停まっている。

そばで河津桜が咲いているのに、この数年は見に行っていない。

駐車場に冬香の軽自動車が停まっているのを見てため息が出た。妹である冬香は今年二十二歳。名古屋に住む彼との結婚が決まってからはかなりウザい。

リビングに顔を出すと、冬香が私を見て「うわ」と声には出さず口だけを動かした。上下モコモコのピンクのトレーナーを着ていて、頭には同じ色のヘアバンド。風呂上がりなのだろう。

「仕事着で帰ってくるなんて、お姉ちゃんってマジで終わってるね」

「うるさいなあ。誰かに会うわけじゃないんだからいいでしょ」

「いや、そこは手を抜いちゃダメっしょ。そんなんだから、友洋さんともご無沙汰なんだよ」

昔から冬香は、確実に急所を狙って攻撃してくる。

「友洋のことは関係ない。仕事が忙しいんだよ」

「へえ」と、冬香は次の急所を探すように、にやけた顔で私を見てくる。

「つき合って三年だっけ？」

「もうすぐ四年」

「お姉ちゃんがプロポーズを断っちゃったから、友洋さんも冷めたのかもね」

本当に性格が悪い。ソファでテレビを観ている母は、こっちの会話が聞こえているはずなのに反応すらしない。

「断ってません。保留にしてるだけ」

言い捨てて、二階にある部屋に逃げた。

加湿器のスイッチを入れるとカモミールのかおりのするミストが鼻腔をくすぐる。

ＬＩＮＥを開くと、彼からの返信は猫が両手で大きなマルを作っているスタンプがひとつだけ。吹き出しに『ＯＫ』と書かれてある。

共通の知り合いを通じて紹介された川瀬友洋は、身長はそれほど高くないけれど、実直な人柄を感じさせた。三人兄妹の末っ子ながら面倒見はよく、ひとつ年上のせいか妹のようにかわいがってくれた。

彼の住む伊東市までは、東伊豆道路を通れば車で一時間の距離。お互いの家を行き来したり、時には中間地点で会ったりしていた。

去年の誕生日にプロポーズされた時はうれしかった。

冬香の言うように、保留にしてもらったのは私のほう。あれから会う回数は確実に減っている。

原因はいくつかある。冬香が結婚したら名古屋に行ってしまうこと。そうなれば母がひとりになってしまうこと。ふたりで暮らすにはお互いの貯金額が不安だったこと。

ためらいながら口にした私に、友洋は少し悲しそうに笑っていたっけ。

あれから一年、もうすぐ二十八歳の誕生日が来る。

「結婚か……」

ミストを眺めてつぶやく。霧のように見えない未来は、これから先も同じ。

友洋のことは本当に好きだけど、どうしても結婚に踏み切れずにいる。

同じ場所をぐるぐる回る私を、いつか彼は見捨ててしまう。そんな予感が常にまとわりついている。

小室山（こむろやま）公園に来たのは久しぶりだった。

伊東市にはほかにも大室山という観光地があり、どちらも人気だ。十万本のつつじが咲くことで有名な公園も、この季節は椿が朱色の花を咲かせている。駐車場に車を停め、ペットボトルのお茶を片手に散策する。日曜日ということもあり、敷地内にはたくさんの家族連れやカップルがいた。風の冷たさに笑ったり、芝生に寝転んだりしている。

懐かしいな。彼と最初に来たのがここだった。山の頂上で告白されたことを、昨日のことのように覚えている。

感傷的な休日を選んだのは、家にいたくなかったから。朝から結婚式の招待状の宛先を書く冬香を見て、手伝わされては大変とこっそり家を出てきた。

もう少しの辛抱だ。春になれば名古屋で結婚式が行われ、母とふたり暮らしになる。心穏やかな生活が待っていることだろう。

いや、本当にそうだろうか。両親が離婚して以来、母は変わってしまった。口を開けば嫌味ばかり言ってくるくせに、妹のことだけは溺愛している。

父は今ごろどうしているのだろうか。小学生の時、緊急用に教えてもらった父の携帯電話番号のメモはもうない。あったところで、今さら電話しても迷惑なだけだろう。

るだけ。

「ふう」と、息を吐く。せっかくの休日なのに、こんなことを考えていては暗くな
遠くに彼の住む伊東市の町並みが見える。ここにひとりで来たことは内緒にしておこう。きっと嫌味に聞こえてしまうだろうから。

リフト乗り場は意外にも空（す）いていた。土産物屋でチケットを買い、裏口から通じるリフト乗り場にアクセスできる。頂上まで行くつもりはなかったけれど、せっかく来たのだから、と往復のチケットを買った。

係員に誘導され、ひとりがけのリフトに腰をおろす。あの日の友洋は、私が落ちないように何度もふり返ってくれたっけ……。

まだ別れたわけじゃないのに、思い出すと悲しくなってしまう。

わあ、と前のほうで歓声が起きた。ふたつ前に乗っている女性がスマホを左側に向けている。

つられて顔を向けると、白化粧をした富士山が遠くに見えている。うちの旅館からも見えるけれど、それよりも大きい。

「すごくキレイ！」

はしゃぐ女性の声に、聞き覚えがある。

スマホを顔から離した横顔を見て、思わず「あっ」と声を上げてしまった。ふり向いた女性と目が合った。

二〇二号室に宿泊している、季俣さんだった。


山頂は起伏に沿って板張りの歩道が作られており、奥には展望台がある。

「この海は相模灘です。向こうに見えるのは房総半島、あっちが伊豆諸島です」

指をさして説明すると、季俣さんは子どものように目を輝かせた。

「すごい眺望ですね。富士山も見られるなんて贅沢すぎる。それに、こんな所で北川さんに会えたことが本当にうれしい」

改めて見ると季俣さんはかわいらしい女性だった。つるんとした肌に大きな目がうらやましい。宿泊台帳によれば二十五歳。やっぱり私より、ずいぶん若く見える。

人が多くなってきたので展望台を離れることにした。

「キッチンカーはお休みなんですか?」

そう尋ねる私に、季俣さんは「ふふ」と笑った。

「今日は通常メニューの日だと言われたので、強引に休みを取ったんです。だって、全然お客さん来ないし」

先日会った時も、『普段は』と言っていた。特別メニューの日があるのかな。

「ここまでは電車で来たんですか？」

私の質問に、一瞬間を置いてから季俣さんは「いえ」と答えた。

「街並みを見学したかったからバスで来ました」

帰りは車で送っていこうかな。でも、余計なお世話かもしれないし……。

私の迷いを汲み取るように、季俣さんが「大丈夫です」と言った。

「悠翔さん、交通費は出してくれるんです。帰りはタクシーを使おうかな、って」

「休みの日にも？　それは手厚いですね」

「ここだけの話ですけど、親の遺産を受け継いでるんですって」

なるほど、と納得した。積極的によい場所にキッチンカーを出店しなくても困らないわけだ。

どんな店なのか気になるけれど、来てほしくないようなので、これ以上この話題に触れないようにしよう。人との距離を保たないとあとで苦しくなってしまうから。

山頂には山をくりぬいたように、コンクリートでできたカフェがある。さすがに二月、さらに山の上。寒くてたまらないのでお茶をすることにした。

暖房の効いた店内の窓側にある席で、コーヒーを飲みながらお互いのことを話した。

驚いたことに、季俣さんは婚約破棄をされたことをきっかけに、今の仕事に就いたそうだ。

「すごい展開ですね」

まるでドラマみたいな話なのに、当の本人はスッキリした顔で笑っている。

「そういう北川さんはどうなんですか？　彼氏さんと長くつき合っているんでしょう？」

話の流れで友洋の話は軽くしていた。コーヒーカップを両手で包み、あいまいにうなずいた。

「最近はお互いに忙しくて会えていないんです。ひょっとしたらフラれるのかも」

「え、どういうことですか？」

目を見開いた季俣さんに軽く首を横にふった。季俣さんはあくまで旅館のお客様だ。暗い話をすべきじゃない。

けれど、季俣さんは上半身を折って顔を近づけてくる。

「よかったら話してください」

「いやあ、でも……」

「解決しなくても、話すことでラクになることはあります。もちろん個人情報は保護します」

その言い方がおかしくて笑ってしまった。

「じゃあ、口止め料代わりに、旅館まで私の車で送ります」

「交渉成立ですね」

クスクス笑い合ったあと、窓の向こうに広がる海に目をやる。

空と海との境目がくっきりと見えた。同じ青色に見えてまるで違う。私と友洋との関係にどこか似ている。

「去年の誕生日に、彼――友洋からプロポーズされたんです。うれしかったし、受けるつもりだった。だけど、急にためらってしまって返事を保留にしちゃったんです」

傷ついたような顔が今も忘れられない。私はあの時、なんて言い訳をしたのだろう。たしか、『妹が結婚したら』とか『貯金がたまったら』と言った気がする。

「『一年後にもう一度プロポーズする』と言われています」

視線が勝手にテーブルに落ちていた。

「それっていつですか？」

「二十五日です」

「今月のですか？　もう再来週じゃないですか。あ……もしかして断るつもりなんですか？」

「どうすればいいかわからないんです。最近では向こうのほうが冷めたような気もしているし」

この一年、自分なりに考えた。友洋に不満があるわけじゃないし、家だって早く出てしまいたい。躊躇する理由は、ひとつだけ思い当たることがある。

こんなこと言ってもいいのだろうか。そう思うと同時に口が開いていた。

「うちの両親、私が小五の時に離婚してるんですよ。それ以来、母と妹と住んでいます」

「あ、ごめんなさい」

自分から話したのに謝ってくれる季俣さんはやさしい人。

「もう昔のことですから。でも、その時に思ったんです。結婚しても一生そばにいられるわけじゃないんだ、って。きっとトラウマみたいになっているんでしょうね」

「お父様とは会ってないんですか？」

「玄関先で別れて以来、会っていません」

あの日のことは何千回と思い出している。顔はぼやけてしまっているけれど、冷たいうしろ姿だけははっきりと覚えている。

ざわつく気持ちを抑えようと、コーヒーを一気に飲んだ。

「友洋は父とは違う。だけど、怖いんです。もしも同じことになったら？　そう思う自分がいつもいるんです」

おそらく彼に別れを告げられるのだろう。そして、ホッとする。嫌いになる前に嫌われたほうがマシだから。

そもそも、プロポーズをもう一度してくれるかもわからない状況だし……。

しばらく黙ったあと、季俣さんは「あの」と静かな声で言った。

「これは慰めになるかわからないんですけど……うちの両親は亡くなっているんです」

「あ、そうなんですか……」

「突然そんなことになり、兄妹の関係も悪化しました。今も疎遠のままです」

私の両親は離婚こそしたけれど、生きてはいる。そう慰めてくれようとしているのかな……。

　季俣さんが顔を上げた。

「婚約破棄もされ、仕事も失いました」

「はい」

「人生が終わった、って思いました。だけど、ある日店主に拾われました。まだ三カ月しか経ってないけど、生きててよかったと思えるようになりました」

　その言葉を言えるのは、一度は死を考えたことがある人だけ。季俣さんもつらい経験を重ねてきたのだろう。

「なにが言いたいかというと、人生はなにが起きるかわからないってことです。今は行き止まりのように思えても、いっぱい悩んで答えを出せたなら、新しい人生の道が必ず現れるんです」

　どん底から這い上がった人は、過去の弱さを強みに変えていく。

「……私にもできるのでしょうか？」

「できますよ。最終的には生きていればいいんですから」

　生きていればいい。たしかにそうだな、と思った。

　遠い昔、一度だけ死にかけた経験がある。あの日も思ったはずだ。生きていてよかった、と。

友洋に対しても、きちんと向き合わなくちゃ。出した答えを背負って生きていこう。

「あっ」と、急に季俣さんが口を押さえた。

「ごめんなさい。なんだかひとりで熱くなっちゃって……。店主にいつも『しゃべりすぎだ』って叱られるんです」

「そんなことないです。ちゃんと慰めになってましたよ」

真っ赤な顔になった季俣さんが、両手で顔を隠した。

期間限定の友だちができたみたいでに、くすぐったくてうれしかった。


河津駅は、不思議な駅。

トンネルとトンネルの間に作られた駅だから、高架上に現れた電車はすぐに見えなくなってしまう。

夜のせいで山は黒いシルエットになっている。電車がライトごとトンネルに吸い込まれていくのが見えた。

駐車場に車を停めると、駅舎から彼が姿を見せた。久しぶりに会うのに、着古したパーカーとコートで寒そうに車に駆けこんで来る。

友洋から連絡があったのは昼のこと。仕事のあと慌てて家に戻り、着替えてきたのにな……。

「急にごめん。日曜日のことで話があってさ」

車に乗るなり友洋はそう言った。

「あ、うん」

「午前中だけ外せない仕事が入って、会うのが午後になっちゃうんだけどいい？終わったらこっちまで来るから」

目の下にはクマが濃く浮かんでいる。誕生日の日にも仕事を入れた彼。きっとプロポーズの約束はなかったことにしたんだ。

私だって迷っているのだからホッとすべきなのに、言いようのないムカつきを覚えた。

「朝から会う約束だったよね？」

「うん。だから、ごめん」

仕事のあと会いに来たのだから許すべきだ。そう言っているような気がして、イライラが増す。

「忙しいんだったら会わなくてもいいよ」

冷たい言葉がポロリとこぼれた。

彼は大きくため息をつき、「いや」と言った。

「約束だから」

「約束だったらなんで仕事を入れるの？　今日だって急に呼び出して、私の都合は考えてないよね？」

「だから、悪かったって」

重い空気から逃れるように、友洋は顔と心を窓の外に向けてしまった。後頭部の髪は寝ぐせがついたままで、あごには不精髭が生えている。着飾らない友洋が好きだったはずなのに、今では短所に思えてしまう。

「ずっと会えてなかったよね？　約束してもダメになることばっかり」

「……ごめん。あと少しで落ち着くから」

きっと彼の気持ちは冷めている。

電車のライトが高架を照らした。流れ星のような電車を見て、小さく息を吐いた。

「わかった。じゃあ、日曜日の午後ね」

ケンカの最後、折れるのはいつも私のほう。せっかく会えたんだから、嫌な気分にさせたくないし、なりたくない。

ホッとしたようにうなずくと、彼はドアを開けた。冷たい風が車内の熱を一瞬で消した。

「え、もう帰るの？」

驚く私に、友洋は何度目かの「ごめん」を口にした。

「仕事に戻らなくちゃいけなくて。日曜日のこと、直接謝りたかったから」

プロポーズを保留にした日から、友洋の前に新しい道が現れたのかもしれない。先にためらったのは私なのに、傷つけられた気分が拭えない。

駅に戻っていく彼のうしろ姿が、あの日背を向けた父と重なって見えた。

ふり切るようにアクセルを踏み、駐車場を出た。

ひとりになると冷静に考えることができる。どうして友洋はスーツじゃなく普段着を着ていたのだろう。仕事が休みだとしたら、仕事に戻らなくちゃいけない、というのは嘘になる。

新しい誰かがいるのかもしれない。彼女との恋へとシフトしたから、仕事で忙しいフリをしている。

想像するだけで胸が苦しい。私はやっぱり友洋が好きなんだ。こんなに好きなのに、父と同じように背を向けられるのかもしれない。

気づくと横断歩道を渡っている人影が目前に迫っていた。

ギイイイイ！

すごい音を立てて叫ぶブレーキ音。驚いた顔の親子がライトに映し出された。横断歩道のすんでのところで停車することができた。

危なかった……。

母親らしき女性が「ちょっと！」と怒鳴ったが、信号が点滅しているのを見て女の子を抱いて行ってしまった。何度も頭を下げ、青信号になったのを確認して再び走り出す。

シートベルトが強くめり込んだせいで胸が痛い。

悔しくて悲しくて、だけど涙はやっぱり出ない。

友洋に泣いてすがれたのなら、もう一度私を愛してくれるのだろうか。

宿泊客のチェックアウトが終わると、ひと息つく間もなく部屋の清掃に入る。ゴミを出し掃除機をかけたあと、新しいシーツや浴衣を準備する。そのあとは貸し切り風呂の清掃や玄関の掃除があり、あっという間に午前中は終わる。

木曜日の今日は朝から雪が降っている。河津町にも雪は降るけれど、積もるほどではない。雪が色を添える河津桜を観に、今日もたくさんの観光客が押し寄せているのだろう。

「しかし、冬香ちゃんもついに結婚かぁ」

早い昼食をとりながら、伊佐木さんが感慨深げに言った。

「そのせいで家は大騒動。席の配置とか引き出物で、毎日母親とケンカばっかりしてる」

「冬香ちゃんは昔から気が強いからなぁ。俺だって何度吠(ほ)えられたことか」

そう言いながらも、伊佐木さんはうれしそうだ。

「でも、ゴールデンウイークに休業していいんですか？」

「いいに決まってる。冬香ちゃんの晴れ姿を見られる日が来るなんて、想像するだけで泣いちゃいそうだよ」

そういうものなのかな。なんだか申し訳ない気持ちになってしまう。

「雪音ちゃんは友洋くんと一緒に参加するんだよね？」

「ええ、まあ……」

冬香の結婚が決まったことは、友洋には伝えていない。招待状も私から渡すように言われたのにバッグにしまったままだ。

誕生日まであと三日。毎日続けているメッセージのやり取りをそっけなく感じているのはお互い様だろう。

「あの人、参列したりしないよね？」

考えるよりも先に尋ねていた。誰のことを指しているのかわかったのだろう、伊佐木さんは「ああ」とぼやいた。

「信二のヤツ、結婚することも知らないだろうな。今ごろ、どこでなにをしてるやら」

母と離婚した時に、伊佐木さんは父親と絶交したそうだ。今でもそれは継続しているらしい。残像を消し去るようにお茶を飲み干していると、入り口の扉が開く音がした。

「私、出ます」

受付に行くと、季俣さんが玄関でコートについた雪を払っている。今日は午前中からキッチンカーを開くと聞いていたのに、どうしたんだろう。

「お帰りなさい。雪、大変だったでしょう？」

玄関先に置いてあったタオルを渡した。

「海に落ちる雪も綺麗でした。なのに、『今日はもう閉店する』って急に言われて、そこで降ろされたところです。うちの店主、気分屋なのが難点で困ります」

ぶすっとした顔を作る季俣さんに、

「お帰りなさい」

伊佐木さんが顔を覗かせた。

「昨日のお料理美味しかったです。今夜もよろしくお願いいたします」

「任せといてください。今日はいい金目鯛が入ったもんで、煮つけを作りますから」

気分よく戻っていく伊佐木さんを見送ってから、季俣さんに視線を戻した。

「お休みになるようでしたら、お布団を敷きましょうか？」

「そうね。せっかくだしゴロゴロしちゃおうかな」

そのまま二〇二号室へ向かい、シーツをセットする。

「ここの料理は本当に美味しいですね。お風呂も最高だし、体も心も元気になります」

「ありがとうございます」

「伊豆半島に住んでいる人は、いつも金目鯛を食べられていいですね。あのほっこりとした身と甘い味つけが大好きなんです」

座布団に座り、季俣さんがほわんとした口調で言ったので「いえいえ」と首を横にふった。

「ほかの家庭のことはわかりませんが、うちでは滅多に出ませんよ」

滅多にどころか、もう何年も食卓に上ったことはない。金目鯛の煮つけは、父との思い出の料理だから……。

じわりと嫌な感覚が生まれ、気づけば胸を押さえていた。すぐに作業に戻るが、一度浮かんだ映像が頭から離れてくれない。

季俣さんが私を見つめていることに気づき、口元に笑みを作った。

「昔、父の知り合いに魚屋さんがいたんです。よくその人からもらっていたのを覚えています」

売れ残った金目鯛を手に帰宅した父の姿を今でも思い出す。赤い魚を手に、まるで自分が獲(と)ってきたかのように自慢げにあごを上げていた。

酒の肴にするように言われた母は、毎回文句を垂れ流しながら金目鯛の煮つけを作っていた。どうせ作るんだから言わなきゃいいのに、と思ったことを覚えている。

父の膝に座り、日本酒のにおいにクラクラしながら、甘い味の切り身を食べさせてもらった。金魚のように口をパクパクさせる私に、父は笑い声を上げていた。

普段は料理をしない父なのに、金目鯛の煮つけの翌日は決まってキッチンに立った。太い腕でフライパンをふって作ったのは、金目鯛のチャーハン。煮汁でベトベトになった真っ黒な色のチャーハンが、私は大好きだった。

だんだん父の帰りが遅くなり、家族との間に会話が少なくなっていった。

長期の出張という名の別居がはじまって以降、父と食卓を囲んだ覚えはない。あの金目鯛の煮つけは二度と食べられないし、母の前では禁句となっている。

伊佐木さんも知っているのだろう、金目鯛を使ったまかない食を出されたことはない。

「そう言えば——」

季俣さんの声に、ハッと我に返った。シーツの端を折りながら「はい」と答えた。

「もうすぐ二十五日がきますね」

先日、誕生日のことを話していたっけ……。

「二十八歳になるなんて信じられません」

「プロポーズをされたら受けるんですか？」

直球の質問にうろたえながら、今は仕事中だと言い聞かせる。

「その場にならないとわからないですね」

あの日、友洋と向き合おうと誓った気持ちは、煙のように消えてしまった。そんな自分が情けなくなるが、どうしていいのかわからない。

「この数日、ずっと元気がないから気になっていたんです。私が余計なことを言ったから気にしているんじゃないかって……」

表情を曇らせた季俣さんの向こうで、雪がしんしんと降っている。

「そんなことありません。すごく心強かったです。だけど……たくさん悩むことに疲れたみたいで――」

なに正直に話しているんだろう。自分の口を塞ぎたい気持ちよりも、吐き出してしまいたい欲求のほうが勝っている。

「生きていればいいんです」

たしか、前にも言われた言葉だ。今にも死にそうに見えているなら、それはそれで心配だ。

「あ、はい。もちろん死ぬつもりはありません」

はっきりそう言う私に、季俣さんはホッとしたように肩の力を抜いた。

「余計なことを言ってごめんなさい」

「大丈夫です。お邪魔しました。ごゆっくりおくつろぎください」

まだなにか言いたそうな季俣さんに頭を下げ、部屋をあとにした。

伊佐木さんに断ってから車で昼休憩を取ることにした。石の階段を降りていると、向こうから霊柩車(れいきゅうしゃ)が山道をのぼってきた。いや、違う。黒と白のストライプ模様が施されたキッチンカーだ。

もしかして、これが季俣さんのキッチンカーなの？　オシャレに見えなくもないけれど、色使いがどうしても葬儀を連想させる。

私の横でハザードを出して停まったキッチンカーの運転席から男性が顔を出した。

「君は、ここの従業員？」

よく通る声だと思った。口を一文字に結び、切れ長の目が観察するように向けられている。真っ黒な調理服を着ていて、それが武骨な雰囲気に合っている。

「はい。北川と申します」

「ここに泊まってる季俣埜乃に渡してもらいたいんだが」

ぬっと白いビニール袋を差し出してきた。袋の中身は駅前で売っているお弁当と緑茶のペットボトルだった。

「昼飯だ、と伝えてほしい」

「季俣様にですね。かしこまりました。あの、失礼ですが……悠翔さんですか？」

たしかそういう名前だった気がする。

店主はひとつうなずいたあと「ああ」と小さくつぶやいた。

「なんだかうちのがお世話になっているそうで……ありがとう」

「とんでもございません。こちらこそ、あたたかいお言葉をいただいております」

「そうか」

一瞬、丁寧に思えた店主が興味をなくしたように短く言った。季俣さんの情報どおり、変わった人らしい。

「海のそばで出店されているんですよね」

「今日は雪だから止めた。……悪いが、もう一度名前を聞いていいか？」

「北川です。北川雪音と申します」

名前を言った途端、店主の顔がわずかにゆがんだように見えた。けれど次の瞬間には元の澄ました表情に戻っている。

「そうか。じゃあ、よろしく」

走り去っていく車は、すぐに雪に隠れて見えなくなった。


昔から冬香は『なんで?』を連発する妹だった。

『なんでお姉ちゃんは家にばかりいるの?』『なんで友だちがいないの?』

私になんか興味がないくせに、なんでも聞きたがった。

日曜日の昼過ぎ、私を捕まえて聞いてきたのは、

『なんでみんなと一緒に式場まで来ないの?』

ということだった。

私が今から出かけるところなのは一目瞭然なのに、リビングを通せんぼするように立っている。

「別々に行くことは前から伝えてるよね?」

わざと腕時計を覗くフリをして、時間がないことをアピールしているのに冬香は動じない。

「親族は同じ時間に式場に入るんだよ。何回も控室に案内できないんだって」

冬香が案内するわけでもないだろうに、そんなことを言ってくる。なにか言い返そうとする私に、「ああ」とひとりで納得したようにうなずいた。

「友洋さんの車で一緒に来るってこと？」

「そうかも……」

「友洋さん、結婚式に出てくれるんだよね？」

「……どうだろう」

煮え切らない私に、冬香がサッと顔をリビングに向けた。

「お母さあん。お姉ちゃん、こんなこと言うんだよ」

テーブルで新聞を読んでいた母親がチラッと私を見た。

「雪音、いい加減にしなさい。冬香が大変なのは見てればわかるでしょう。ふたりで新幹線で行けばいいじゃない」

「ほら。お母さんだって私と同じ意見じゃない。妹の結婚式に嫉妬するのはわかるけど、ちょっとくらい協力してくれてもいいでしょ」

鬼の首を取ったかのような冬香にため息がこぼれた。

五年前の事故のことをもう忘れてしまったのだろうか。私は幸い、土砂崩れに巻き込まれずに無傷で済んだけれど、あれ以来電車に乗ることができなくなった。

家族ならいつかはわかり合えると思っていた。父親に捨てられた私たちだからこそ、支え合っていけると信じていた。

けれどそれは幻。うちでは母親と冬香がひとつのチームで、私を仲間外れにしている。

「新幹線のチケット、ふたりぶん取るから友洋さんにも言っておいてよね」

誕生日を祝われたいとは思わないけれど、ひと言くらい、言ってくれてもいいのに……。

むしゃくしゃした気持ちのまま外に出ると、河津桜を見学に来たであろう人たちが歩いていた。隣の家に植えてあるレモンの木までじっくり眺めている。

誰もがにこやかで、幸せそうに見えた。

ゆっくりと車を走らせ国道へ出た。約束の時間には間に合いそうもないけれど、事故を起こしかけたことがトラウマになっているらしくスピードを出せない。

河津駅の駐車場には、友洋の青い車が停まっていた。珍しく車で来たらしい。

助手席に乗り込むと、運転席の友洋はあいかわらずの寝不足な顔。

「遅くなってごめんね」

「大丈夫。俺も今ついたとこ」

そう言うと友洋は車をバックさせた。助手席に腕をかけ、うしろを確認している顔が近すぎて思わず身を縮めてしまった。

気にした様子もなく、友洋は市街地へ向けて走り出した。どこへ行くのかはわからないけれど、今日の友洋はいつにも増して無口だ。

北へ向かう車の中で、時折相手がいることを思い出したかのように、私たちはぽつりぽつりと話をした。

膝の上に置いた手を無意識に握り締めていた。大丈夫、別れを告げられる覚悟はできている。だけど、彼を好きだという自分もここにいる。

好きなのに離れなくちゃいけなかった父との過去が、呪いのように私を苦しめている。

ふと季俣さんが言っていた言葉を思い出した。

『いっぱい悩んで答えを出せたなら、新しい人生の道が必ず現れるんです』

私は結局、悩むことを放棄したのかもしれない。終わることが怖くて、ただ逃げていただけ。

これまでずっと受け身で生きてきたことに気づいた。父親に捨てられたと思い込んでいたけれど、ひょっとしたら逆にそう思わせていた可能性もある。

家庭の雰囲気がいびつになった頃、私は両親の顔色ばかり窺っていた。父に話しかけると母が不機嫌になるから、だんだん避けるようになっていた。

父も私と同じで、自分から話しかける勇気がなかったのかもしれない。だって、私たちはそっくりだったから。

あの日、どちらかが悲しみを言葉にできていたなら、なにかが変わっていたのだろうか。

「友洋」

そう言う私に、彼は「ん」とひと言で答えた。

「海が見える駐車場に行こう。そこで話をしたい」

「わかった」

山道の途中にある駐車スペースからは海が一望でき、私たちはそこを『海が見える駐車場』と呼んでいた。デートの帰り道は、よくそこで話をした。

最後にちゃんと話をしよう。もう受け身でいるだけの自分をやめたい。

なだらかな坂を上る途中に、ひっそりとした駐車スペースが現れた。車は数台停まっているが、はしっこになんとか駐車することができた。

外に出るとやけに風が冷たい。今夜はまた雪の予報だ。

両手を手すりに置き海を眺めた。遠くにある雨雲が、海の向こうに黒い影を落としている。

緊張した横顔の友洋に、

「あのね」

「ちゃんと話をしたかったの。だけど、どうしても言う勇気がなかった」

軽い口調を意識して言った。

「え、なんのこと?」

「私たちのこと。去年、せっかくプロポーズしてくれたのに、私、逃げちゃったよね」

友洋は眉をひそめたまま動かない。

「ヘンな理由をつけて先延ばしにしたのは、きっと父とのことが消化できていないから。いつか友洋もいなくなっちゃうような気がして――」

「俺はそんなことしない」

遮るように強い口調で友洋は言った。久しぶりに友洋の本音が聞けたような気がした。

風であおられる髪を押さえて、私はうなずいた。

「勝手に悪いほうへ想像してしまうの。一度そう思うと、なかなか抜け出せなくて、きっと……父のことも、避けていたのは私のほうだったんだって、やっと気づいたの」

「それは違うよ。はっきり言ったことなかったけど、俺は雪音の父親が大嫌いだ」

「え？」

これまで言われたことがなかったから驚いてしまう。友洋は腕を組んで海をにらんでいる。

「どんな理由があるにしろ、父親は父親だろ？　たとえ避けられていたとしても、最後に話をしないなんてありえない。離れたあとだって連絡をしないなんておかしい。だから、俺は雪音の父親が大嫌いだ」

普段、気持ちを言葉にしない友洋にしては珍しく鼻息が荒い。自分でもそう思ったのか、友洋は右手の拳を口に当てた。

「ただ俺も、この一年、ずっと不安にさせてたと思う。正直、プロポーズを延期された時はへこんだよ。でも、雪音を思う気持ちはなんにも変わらない。俺も、雪音の父親とおんなじで、気持ちを言葉にしてこなかったと思う。それは、ごめん」

「ううん……」

「冬香ちゃんから電話をもらったよ。『はっきりさせてくれないと困るんだけど』だってさ。ああ見えて心配してくれてるんだよ」

　そうだったんだ……。すんなり納得すればいいのに、モヤッとした感情がお腹の中に生まれている。

「そうは思えないよ」

　思わず漏れた言葉が、自分の本心だとわかる。

「家族の中に居場所を感じられないのは一緒だし、冬香だって自分の結婚式に迷惑をかけられたくないだけ。お母さんだって同じ。どんなに愛情を持ってくれていても、伝わらないと意味がないと思う」

　そう、私は家族に愛されていなかった。最初は互いに口を閉ざし、やがてあきらめていったんだ。私にも責任はあるだろうけれど、愛されている実感は父からしかもらっていない。

「そうかもしれない」

「え？」

　友洋は逡巡(しゅんじゅん)するようにあたりに目をさまよわせたあと視線を合わせた。

「家族だから仲良しっていうのは幻想なんだと思う。愛する力がない人、って悲しいけれどいるんだよ。君の母親も妹も、そういう人なのかもしれない」

「友洋……」

「家族のことで苦しんでいるのはずっとそばで見ていたから知っていた。だから、俺は君を連れ出したかった」

「……え？」

「俺たちふたりなら一緒にがんばれるよ」

思わぬ展開にきょとんとしてしまう。

「どういうこと……？　てっきり別れ話をされるんだって——」

友洋は少しさみしそうな表情を浮かべた。

「そう思われている気がしてた。だけどプロポーズにはサプライズが必要だし……いや、これは言い訳だ。やっぱりちゃんと話をすべきだった。実は、副業でバイトをしてたんだ」

「え、バイト……？」

「雪音が安心して一緒になってくれるようにしたかった。ほら、プロポーズの時に言われたから」

「あ……ごめん」

私がした言い訳を彼は本気にして、この一年間がんばってくれたんだ……。

「先週で目標金額に達したんだ。最初から言えばよかったのに、俺も意固地になってた。本当にごめん」

お互いに謝り合ったあと、彼は両手で私の肩を握った。

「これからはちゃんと話をする。改めて言うよ、俺と結婚してほしい」

心からの言葉が、凍った心を一気に溶かしていく。

友洋の腕に飛び込む時、生まれて初めて心から幸せだと思えた。


友洋の車が見えなくなるまで見送った。降り出した雪さえも愛(いと)おしく感じる。

彼の計画では、新居の候補であるモデルルームでプロポーズをするつもりだったらしい。あのあとふたりで見学に行った。

ドロドロと渦巻いていた気持ちは跡形もなく、私たちは互いに思っていることを話し合った。友洋は浮気疑惑にショックを受けていたけれど、彼は彼で悩んでいたことも知った。

来週、友洋はうちに来て挨拶をしてくれるそうだ。

帰ったら母に言わなくちゃ。どんな対応をされても大丈夫。ふたりで暮らすことができれば、あとはどうでもいいとさえ思えた。

『生きていればいいんですから』

また季俣さんに言われた言葉を思い出した。

私のことを本気で心配してくれていたのに、私は正直な気持ちを打ち明けられずにいた。

時刻は午後五時。山から出て来た電車が、雪を背景に駅へ滑り込んでいく。同じ景色でも気持ち次第で見え方は変わるものだ。

「もう五年か……」

五年前に電車事故に遭遇したことは、家族以外誰も知らない。目の前で起きた光景を忘れることは一生ないだろう。

そうだ……。あの日が最後に泣いた日だ。私は違う車両にいて無事だったけれど、絶望が漂う車内で声を殺して泣いたことを覚えている。

悲しい記憶を、いつか友洋にも聞いてもらおう。彼ならきっとやさしく受け入れてくれるはず。

昼間よりも静まった駅前を抜け、海のほうへ歩いた。もしまだキッチンカーがあるなら覗いてみよう。

季俣さんは来てほしくなさそうだったけれど、私の報告を聞けばよろこんでくれるはず。それ以上になぜか、あのキッチンカーで食事をしてみたい気持ちが強くなっている。

音もなく降る雪に導かれて国道を渡ると、斜め左にある砂利の駐車場にキッチンカーがまとうオレンジ色の光が見えた。

もう見えないほどに暗い海から、波音だけが聞こえてくる。

悠翔さんが私に気づき、作業中の腕を止めた。この間とは違い、今日は濃い赤色のユニフォームを着ている。比翼仕立てと呼ばれるボタンが見えないシャツに、対照的な黒色の帽子と前掛けをつけている。

違和感は腰からぶら下がっているキーホルダーだ。『わにゃん』という犬と猫をミックスしたキャラクターが昔流行っていた記憶がある。でも腰ひもに普通、キーホルダーなんてつけないと思うんだけど……。

私に気づいた季俣さんは茶色の作務衣姿で――。

「ダメ！」

大声で叫んだ季俣さんが、キッチンカーから転がるように出てきた。

「どうして来たの⁉」

いつもの丁寧な言葉ではなく、オロオロする季俣さんに、「おい」と悠翔さんが声をかけた。だけど、季俣さんは首を何度も横にふる。

「お願い帰って。ここに来ちゃダメ、ダメ……なの……」

最後は涙声になる季俣さん。

「季俣さん、あの私……」

「お願いだから――」

季俣さんがこんなに拒否しているのに、逆にここで食事をしたい気持ちがどんどん強くなっていく。まるで最後の食事を摂るかのように……って、私なにを考えているのだろう。

「いいから座ってもらえ」

「悠翔さん！」

抗議するように声を荒げた季俣さんの瞳から、涙がこぼれ落ちた。照明のオレンジ色に輝く涙が、雪と一緒に地面に消えた。

「季俣さん、ごめんね。どうしてもここに来たくなったの」

甘い香りは、醤油と砂糖のかおりだろう。カウンターに座る私に、季俣さんはうなだれたまま車内へ戻っていった。

波の音と、なにかを切る音が音楽のように耳に届いている。まるで夜の中に閉じ込められているみたい。今までは不安だったけれど、今日からは違う。

さっき別れたばかりなのに、もう友洋に会いたい。会いたくてたまらない。

「お茶です」

季俣さんの声に顔を上げた。目を潤ませている季俣さんは、なぜ私にここに来てほしくなかったのだろう。

「今日、彼に会いました。私、プロポーズを受けました」

「……よかったですね」

言葉とは裏腹に、沈んだ声が返ってきた。いったいどうしたというのだろう。こんな季俣さんを見るのは初めてのことで戸惑ってしまう。

「こいつのことは気にしないで」

そう言った悠翔さんはフライパンを手にしていた。ごま油のかおりとともに、なにかを炒める音がした。

ふいに父のうしろ姿が頭に浮かんだ。日曜日の昼下がり、エプロンをつけて張り切っている。

「お待たせしました」

悠翔さんが出してくれたのは、一見ただのチャーハンに見えた。

「あ……」

よく見ると、普通のチャーハンよりも色が濃く、皿底には黒色の煮汁が見えた。

私は……この料理を知っている。

「これって、金目鯛の煮つけを使ったチャーハンですか？」

おそるおそる尋ねると、悠翔さんは軽くうなずいた。

「嘘……。だってこれは父が昔作ってくれた料理なんです」

父親が作ってくれたあのチャーハンが目の前にある。

レンゲですくうと、しっとりとした米の間に金目鯛の身が見えた。金目鯛の皮が、アクセントのように美しい赤色を添えている。

口に運ぶのと同時に、父の顔がはっきりと思い出せた。

ぶっきらぼうでお酒ばかり飲んでいた父。別居したことを知らなかったから、たまに帰ってくるとうれしくて、だけどお互い素直になれずにそっけなくしていた。

視界が揺らいだと思った次の瞬間、大粒の涙がポトリと落ちた。鼻の奥が痛くてたまらないけれど、涙をこぼすたびに絡まっていた糸が解けていくような気がした。

「ああ……」

口に運ぶたびに、言いようのない愛を感じる。それはあの日、私たちが手放した親子の愛だと思った。

愛する力がなかったんじゃない。表現する方法を失っていったんだ。父も、私も。

「美味しいです。まるで父が作ってくれた料理のようです」

涙を拭いながら伝えると、悠翔さんは「ああ」とうなずいた。

「もう二度と食べられない思い出の料理なんだろう？」

「ずっと思い出せなかったのに不思議です。悠翔さんはどうしてこの料理を作ったのですか？」

「君が心から食べたいと思ったからだろうな」

よくわからないことを言う悠翔さんに、「あの」と季俣さんが眉をハの字にした。

「こんなこと言っては失礼なんですが、北川さん、自殺しようと――」

「いい加減にしろよ」

「だって、こんなのひどいです！」

ああ、そうか。季俣さんは私がフラれたと思い込んでいるんだ。

「私、本当に彼からプロポーズされたんです。すごくうれしいのに、自殺なんてするわけありません」

「でも……」

「大丈夫。友だちが教えてくれたんです。生きていればいいんだって』

一瞬うれしそうな顔になったけれど、またすぐに、季俣さんは表情を曇らせてしまった。

季俣さんを押しのけると、悠翔さんが手を差し出した。

「お代は税込み千円。先にもらっておこう」

そっけない言い方なのに、その瞳が慈愛に満ちているような気がした。


雪は珍しくこの町を白く染めていた。このぶんじゃ明日の朝は積もっているかもしれない。

店先に出て来た悠翔さんが、軽く頭を下げた。季俣さんはあれ以来ずっと黙り込んでいる。明日は遅番だけど、早めに出勤して季俣さんに会いに行こう。

これまで話さなかった自分の気持ちを誰かに聞いてもらいたい。

「美味しかったです。また来ますね」

そう言うと、悠翔さんは軽く首をかしげた。

「うれしいが春には富士市へ向かう」

聞いていなかったのだろう、季俣さんがぽかんと口を開けた。

「富士市もいいところですね。バスで行きますね」

そう言う私に季俣さんがいぶかしげに眉をひそめたので、

「あ、電車ですね」

と、慌てて訂正した。私が電車が苦手なことを、あえて言う必要もないだろう。

そう考えると、母親も冬香も、そのことを忘れているだけってこともある。ちゃんと理由を説明すればわかってくれるはず。

そうだよ。愛する力がないんじゃなく、私も愛される力を失っていたんだ。思い出の料理を食べたことで、いろんなことが整理されていくようだ。

もしもあれが最後の食事だとしても後悔がないほどに――。また、おかしな思考になっている自分に気づき、キッチンカーをあとにした。

波の音がどんどん遠ざかっていく。白い息が夜に溶けるのを眺めながら歩く。

一度父親に会いに行くのもいいかもしれない。

拒否されるかもしれないけれど、自分の気持ちを伝えるだけでもいいだろう。私はたしかに父を、家族を愛しているのだから。

こんな風に思える自分が少しだけ誇らしかった。

寄り道をして、海近くにある河津桜を見た。ライトアップされた桜がずっと先まで光の道を作っているようだ。

今度、友洋と見に行こう。あのキッチンカーにもふたりで顔を出そう。

駅前に差し掛かると雪が足元をぐらつかせた。さすがに寒さで体が震えてくる。駐車場まであと少しだ。

信号機の青色がいつもより輝いて見えた。桜だけじゃなく、どんなものでも美しく見えてしまう。

ふいに道の向こうから甲高い悲鳴があがった。

駐車場から駆けてきた小学生くらいの女の子が激しく転び、勢いのまま車道へ転がり落ちた。うなるような音に目をやると、赤い車が女の子を捕らえようとするかのようにスピードを上げている。

スローモーションで流れる景色。そこに飛び出すのにためらいなんてなかった。女の子の体を抱き締め、車に背を向ける。

まぶしいライトが私の長い影を作った。

この影がふたつになる日がもうすぐ来る。いつか子供が生まれたなら三人ぶんだ。
クラクションと激しい衝突音が同時にした。宙に浮かぶのを感じた次の瞬間には
アスファルトに頬をつけていた。
ジンとしびれた頭を動かそうとしても、体が動かない。
ライトに照らされた視界に、あの女の子が見えた。お母さんに抱かれて泣いてい
るのを見てホッとした。
危なかったね。もう大丈夫だよ……。
夜が、雪が私を眠らせようとしている。こんな幸せな気持ちで眠るのはいつぶり
だろう。
明日、目を覚ますのが楽しみだ。愛する人たちに気持ちを伝えよう。
瞳を閉じれば、遠くで波の音が聞こえた気がした。

幕間　神代悠翔

君は泣いて俺を責めた。

「どうして彼女なんですか。ひどすぎます」

まさか知り合いが亡くなるなんて思ってもいなかったのだろう。

「俺が決めたんじゃない。運命だったんだよ」

こう見えて、俺も自分を少し責めたよ。

最後の食事を提供する相手が、まさかあの旅館で働いているとは思わなかったから。

「運命を変えることは本来はできない」

そう言う俺に、君は泣いて抗議した。

その姿に遠い昔の君が重なった。

救急車のサイレンが波の音をかき消した。
赤いライトが駅前へ向かうのを見て、君は夜の闇へ駆けて行った。
彼女の死を知ったなら、ひょっとしたら君は辞めてしまうかもしれない。
それでいいとも思う。
俺のそばにいれば、いつか君は思い出すことになる。

——あの悲しみを、あの慟哭(どうこく)を。

第三話

春の先で待つ君へ

富士市

尾花重春（六十五歳）

布団から起き上がり枕元にある台に置いた腕時計を手に取る。

バックライトをつけ老眼と戦いながらなんとか時間を確認。朝の五時だ。

俺の体内時計はまだ活動を続けているらしく、今朝も同じ時間に目が覚めてしまった。

着替えをし洗面所で身支度を整える。電動髭剃りを使いながら鏡をぼんやり眺めると老いた自分が見返してきた。同級生と比べると白髪は少ないが、目じりのシワやシミはこの数年で顔の印象を変えた。

六十五歳なんだし、こんなもんだろ。

台所へ行くとさくらが朝食の準備をはじめていた。

「重春さん、おはよう」

さくらは、昔から俺のことを名前で呼んでくる。結婚しても子供を産んでも、その子供が家庭を作り別所帯を持ってからもなにも変わらない。尾花重春とさくら。『春を感じる名前の夫婦だ』と、よく人にからかわれたもんだ。

　テーブルの上には新聞と老眼鏡が置かれてある。これもいつものこと。

　席に着き新聞に目をやると、右上に四月二十五日（木）と大きく記されている。

「もうすぐ五月か」

　ボソッとつぶやいた声をさくらは聞き逃さない。

「土曜日からゴールデンウイークのところも多いみたい。重春さんの会社は交代勤務になるのよね」

「再雇用組はずっと休みだそうだ」

「じゃあ、のんびりできるわね」

　新聞を読み進める。お悔やみ欄をチェックするのは欠かせない。思わぬ人の名前が載っていることがあるからだ。

　さくらが味噌汁を作りはじめたので新聞を中断し庭に出た。ネコの額ほど狭い庭も、子どもたちが巣立った今では広く感じる。

　目線の先に頭を白くした富士山が見える。富士市という名の通りほとんどの場所で拝むことのできる富士山だが、実際は直線距離で二十五キロメートル以上離れているため、迫力を感じるほど近くには見えない。

さくらはサークル活動とやらで登山したことがあるそうだが、俺には無理な話だ。長年の工場勤務のせいで足も腰も普段から悲鳴をあげ続けているのだから。

両手を合わせ富士山を拝むのが毎朝の慣習。元々はおやじとおふくろがしていたことが受け継がれてきたが、俺の代で途絶えることになる。長男は名古屋、次男は福岡でそれぞれ家庭を持っていて、ともに富士山の拝めない地域に住んでいるからだ。

台所へ戻ると、白米に納豆、味噌汁と卵焼きという長年変わらぬ朝食が並んでいた。

変化のない日々がありがたい。この年になって新しいことはご免だし、ただでさえ再雇用で部署が変わったため悪戦苦闘している。

朝食をとらないさくらは向かいの席で小説を読んでいる。お手製のブックカバーはさくらが参加しているサークルで作ったものらしい。ぜんぶでいくつのサークルに参加しているのだろう。人間好きじゃないとできないことだ。

以前は食べ終わるとすぐに出勤していたが、二月に定年退職をし再雇用勤務となってからは定時での出社時間を守るよう言われている。

パタンと本を閉じ、物語の世界からさくらが帰って来た。

「すごくよかった。まさか犯人が親友だったなんて驚いちゃった」

俺が本を読まないことを知っているくせにさくらは読後の感想を毎回口にする。

いや、だからこそネタバレができるのか。

「主人公が最後、ヒロインと結ばれそうで結ばれないのが好印象だったわ。次巻も早く買わなくちゃ」

「次巻？　それって続きもんなのか？」

お茶をすすりながら尋ねるとさくらは当たり前のようにうなずく。

「私、シリーズものしか読まないの。最低でも五巻は続いている作品が好き――って、この話、もう何回もしてるけど？」

「俺は文字を読むのが苦手だ」

「新聞は読むのに？」

鋭い指摘にムッとする俺に『勝った』とでも言わんばかりにさくらはノートを取り出す。昨年からこれまでのサークル活動に加え公民館で字を習っているそうだ。なにを書いているかについては興味がない。

今さら字がうまくなってどうするんだ。嫌味のひとつでも言ってやりたいがどうせ暖簾に腕押し。言い返されるのが関の山だ。

テーブルの下に置いてある封筒の中から旅行会社のパンフレットを取り出した。カラーの広告には『豪華クルーズ船の旅』と大きく書かれてある。

「これ、どうする？」

定年したら船旅に出る約束をしていた。横浜港から日本をぐるりと一周し、韓国にも寄るという豪華客船の旅だ。昔よりだいぶ値段は上がっているものの、定年後の楽しみとしてずっと取っておいた。

「でも、お仕事休めるの？」

「有給休暇を消化するのにちょうどいい」

「体調はよくなったの？　ちゃんとお医者さんに行って診てもらってからじゃないと……」

余計なお世話だ。押し黙る俺を置いて食器を台所へ運ぶと、さくらは洗い物をはじめてしまった。

旅行の話になるといつもそうだ。定年後のふたりの夢だったはずなのに、興味を失ってしまったらしい。

「ウォーキングしてくる」

定年してからというもの、出社時間まではウォーキングという名の散歩が日課になっている。

家のそばを流れる潤井川の堤防に上がると春霞に煙る町の向こうに富士山が見えた。ふり返ると田子の浦港前に密集している工場の煙突がいくつも立っている。赤と白の市松模様のひと際大きい煙突が長年勤めてきた工場の目印だ。

大学を卒業してからだから四十年以上もの間、通っていることになる。まとめて休んだのは子どもたちの結婚式の時くらい。それだって早めに切り上げて、仕事に戻ったほどだ。

原料の高騰やデジタル化のあおりを受け、製紙工場の仕事は年々減少の傾向にある。しかし、俺の勤務している会社はその中でも衛生用紙と呼ばれるトイレットペーパーやティッシュペーパー、紙おむつなどを製造しているため影響は少ない。

「ああ……」

それなのに、ここのところ虚しさだけが募っていく。理由はわかっている。

長年、企画開発部の主任を務めてきたのに今では工場事務職のひとり。俺以外のやつじゃ勤まらないと思っていた仕事も、新しく主任に昇進したあいつはそつなくこなしているようだ。

それほど大きな会社ではないので、事務職は経理から人事、雑用までをも一手に引き受けている。融通の利かない年下の上司は、早めに出勤することですら柔らかく注意してくる。

まるで自分の時代が終わったような、そんな気分だ。

そろそろ帰って出勤する準備をしよう。堤防の階段に足をかけようとした時だった。息が吸えないほどの胸の痛みが生まれた。

この数カ月、忘れた頃に症状が出る。ギリギリと痛む胸は、まるで爆発物を抱えているようだ。

胸に手を当ててじっとしていると、痛みは徐々に弱くなっていく。静かに深呼吸をくり返しているうちに、波が引くように痛みを感じなくなった。

さくらの言うように一度診てもらったほうがいいかもな……。

手すりを頼りに階段を一歩ずつ下りる。俺を笑うように、カラスが間抜けな声で鳴いている。

河田泰利(かわたやすとし)は、十年前に新卒で入社してきた。

製造部に配属された五年後、企画開発部に意気揚々と転属されてきた。高身長、スリムで茶髪。人懐っこい笑みで同僚の人気も高いが、愛妻家らしく定時になると仕事を切り上げて帰宅する。俺の時代ではありえなかったことだ。

見る見るうちに実力をつけた河田は、俺が定年を迎える前には副主任になっていた。そして今や、新しいエースとして部を取り仕切っている。

ガラス越しに見える企画開発部では、今日も白色のエンジニアコートを着た河田が笑顔をふりまいている。その向こうに二年前から大きな机が置かれている。新たに設置された企画開発部の部長という職を務めているのは山本(やまもと)。愛想のない中年男だ。

元々事務職は工場内に部署を構えていたが、五年前に三階建てのプレハブに毛の生えたようなオフィスを建て、そこへ集約されている。

「尾花さん」

俺の名を呼ぶのは、南(みなみ)圭織(かおり)主任。彼女が俺の上司だ。

「健康診断の受診者リストですが、メールではなくクラウドックスから送り直してもらえますか？」

クラウドックスとは社内だけで使える情報共有ツールのこと。二年前から導入されたが、前の部署では使うことなく定年を迎えた。ログインはするようにしているが使い方はさっぱりだ。今年度からは勤怠管理や他社への請求業務もこれで行っているらしい。

「すぐに送り直します」

若いやつに教えてもらえばいいだろう。素直にうなずいたが、南主任はまだなにか言いたげな顔で立っている。

三十九歳、バツイチ。子どもはたしか高校三年生になったばかり。二カ月間で知った彼女の情報はこれくらいしかない。

化粧っ気のない顔にこの部署の制服である茶色のエンジニアコートを着ている。髪は見るたびに短くなり、今ではうしろは刈り上げに近い。

「勤怠管理表についても同じです。個人情報を扱う部署であることをお忘れなく。あと、クラウドックスは毎朝確認してください。要返答のメッセージが未読のままになっています」

ニコリともせず早口で言うと、南主任は颯爽(さっそう)と自分の机に戻っていった。

ガラス越しに河田と目が合い、ほかの人にふる舞うのと同じような笑みを向けてくる。気づかないフリでキーボードに目を落とす。

クラウドックスに入るためのＩＤやパスワードは机の引き出しにメモしてあるが、ログインした途端に【重要】と記された四角形で区切られたメッセージが表示された。

【パスワードは二カ月に一度変更してください。ログイン停止まで残り六日。】

ああ、めんどくさい。

部署が違えばルールも違う。こんなことでストレスを溜めるくらいなら、いっそのこと退職してしまうのも手かもしれない。結局、旅行も行けないままだし……。

ふいに過去の残像が頭をよぎった。旅行と聞くとどうしても思い出すことがある。静岡東西線で起きた、あの電車事故だ。最悪な経験をしたせいで、さくらが旅行に行きたがらなくなったのはわかっている。

しかしあれからもう五年以上が過ぎている。俺もまだ電車に乗ることはできないが、豪華客船なら大丈夫だろう。さくらも同じことを言っていたはずなのにな……。

——今は仕事中だ。

自分を戒め、再度パソコンと向き合う。

パスワードを変え、言われたように健康診断の受診者リストを南主任のメールボックスとやらに送った。俺だってこれくらいはできるんだ。

喫煙所は年々スペースが小さくなっている。

昔は事務所や休憩所で堂々と吸えたものだが、今となっては工場とオフィスの間に小さなスペースがあるだけ。二階にある連絡通路の真下にあるささやかな場所。雨の日は濡れることを覚悟しなければならない。

今日は遅休憩だったので工場勤務の人は仕事に戻っており、喫煙所は閑散としていた。

「先輩」

俺のことをそう呼ぶヤツはひとりしかいない。見ると、黒色の水筒を片手に河田が歩いてきた。

「なんだ、タバコ止めたんじゃなかったのか？」

「止めさせられたんですよ。子どもが産まれるから、って。ま、いいんですけどね」

飄々（ひょうひょう）と生きているようなイメージだった河田ももうすぐ父親になるのか。次男と同い年だから今年三十三歳になるはずだ。

「それはおめでとう」

「感情のない『おめでとう』をいただきました」

ああ、むかつく。こいつのなにが良くて、あいつらは慕っているんだ。かつての部下たちは廊下で会うたび河田を褒めてくる。

イライラを隠そうと二本目のタバコに火をつけた。

「なんか今朝、佳織さんにやられてましたよね」

「佳織さん？　ああ、南主任のことか」

「あの人おっかないっすよね。うちも強制的にクラックス導入させられましたから」

「クラウドックスだろ。略して言うな」

「みんな言ってますよ。それに先輩たちだって、トイレットペーパーのことを〝巻き〟って呼ぶじゃないですか」

「それは略語じゃなく、仕事上の通称だ」

ああ言えばこう言う。ため息交じりの紫煙を春の空に逃がす。

「そんなことよりも、あの企画は進んでいるのか？」

「先輩のラストプロジェクトのことですか？　正直、結構ヤバい感じですね」

〝ヤバい〟はいろんな意味で使われている言葉だが、この場合は悪い意味でだろう。

トイレットペーパーを作るには、古紙を再利用することが多い。工場に集められた古紙を溶解炉でドロドロにしたあと、洗浄や脱水、漂白と殺菌の工程を経て白い原料になる。

俺が最後に打ち上げた企画は、その工程をなるべく省いた商品を作ることだった。

「工程を省くとインクが取り切れないんです。どす黒いトイレットペーパーで、濡れると手にインクがついてしまいます。せめてインクだけでも取りたいすね」

「だからインク汚れの少ない古紙を選ぶと書いてあっただろ」

「選別に、手間も人件費も余計にかかってしまうんですよ。部長なんて話すら聞いてくれません」

「しかし――」

「まあ、任せてくださいよ」

切り上げ口調で言ったあと、河田はまぶしそうに斜め上にあごを向けた。

鉄のパイプや柵が張り巡らされている。目線の先にそびえ立つのは富士山よりも大きいと思わせるほどの赤と白が交互に塗られた煙突。ほかにも灰色の煙突はいくつも乱立している。

「僕、ここから見る景色がすげえ好きなんすよ」

どんな表情をしているのか、背の低い俺にはわからない。

「そうか」

「小さい頃は工場を見て、ロケットの発射台だと信じて疑わなかったんです。夜の中に浮かび上がる工場を見たくて家を抜け出したこともあります。要塞みたいでかっこいいんですよね」

それはわかる、とうなずく。この地帯には製紙業を中心にいろんな工場が集まっている。おやじに連れられて夜の工場を見た時には感動したものだ。

「そういうの、今じゃ〝工場夜景〟って呼ぶそうですよ」

河田の言葉に俺は顔をしかめる。

「物は言いようだな」

「僕はその先駆者っす。小さい頃から富士市の見どころは富士山だけじゃなくて夜の工場もだ、って言い張ってましたから」

煙突から出ているのは煙だと思われがちだが、ほとんどが水蒸気だ。たしかに夜の闇に溶ける様は美しい。

「富士山にはかなわんだろう」

素直に同意すればいいのに反発するような言葉を選んでしまった。

河田は気にする様子もなく、「いやいや」と首を横にふっている。

「富士山なんて夜になれば見えませんからね。その点、工場は朝も昼も夜もこの町を見守っているんすよ。言わばヒーローみたいな——」

「熱弁しているところ悪いがそろそろ戻らないと」

灰皿にタバコを押しつけると、河田は「はい」とうなずいた。

「僕はもう少しお茶を飲んでます」

昔は自販機の缶コーヒーが好きだったのに、結婚してからは節約を命じられているらしく水筒を持参するようになった。

冷たい態度を取った罪悪感に「今度さ」と言葉が勝手にこぼれた。

「たまにはコーヒーでもおごってやるよ。水筒だけじゃ大変だろ」

「静岡といえばお茶ですから大丈夫です。でも、たまには飲みに連れて行ってください よ」

なんだかな、と思う。旅行もコーヒーも残してきた企画も、俺の提案には誰も乗ってくれない。むなしさを感じることが増えたのは歳のせいだけじゃないだろう。

「わかったよ。じゃあな」

建物に入る前にふり向くと、河田はまだ少年のような瞳で煙突を見上げていた。

帰り道、寄り道をしたのは久しぶりに田子の浦港へ行きたくなったから。

職場からは車で五分の距離なのに、もう何十年も訪れていなかった。小さな漁港の西側に閉ざされた大きな門があった。車を停めて近づくと、どうやら大きな公園のようだ。いつの間にできたのだろう。

周りの景色も幼い頃に見た記憶とはイメージが違う。おやじに連れてきてもらった港で工場を見た時には震えたものだ。ふり向くが雑木林と近くにある建物のせいで、工場はチラッとしか顔を出していない。

色々と変わっていくものなんだな。

車に戻ろうと歩き出した時、

「すみません」

男の声がした。

若い男性が軽トラックの窓から顔を出している。なんだ、このトラックは？

黒と白の縦線が塗られていて、半分夜に消えかかっているように見えた。

「はい」とうなずく俺に、男性はすぐそばの海を指さした。

「ここって田子の浦港ですか？」

言葉は丁寧だがぶっきらぼうな言い方だ。

「漁港の西側にあたるところですね。東海道線のほうに回れば港の看板が出てますよ」

「『ふじのくに田子の浦みなと公園』ってところを探してるんですが」

「久しぶりに来たものでよくわかりません」

不思議な目をしている。なにもかもを見透かしたような瞳に思わず視線を逸らすと、車体に書かれたＦＩＮＥという文字が目に入った。

男性がするりと運転席から出て来た。河田と同じくらいの身長に、昼間のことを思い出した。

結局、俺の企画はダメだったということなのだろう。直接は言えないから工場夜景の話でごまかしたんだ。

「ああ、ここに公園って書いてある」

道路に白線で書かれた『みなと公園』の文字が外灯に照らされている。どうやらこの場所で合っているらしい。男性は恨めしそうに閉じられた門を見つめている。

「駐車場は夕方五時で閉まるのか。早すぎると思いませんか？」

「ですね」のあとが続かない。気の利いた言葉を探すのは苦手だ。

ふと視線を感じて顔を上げると、男性が不思議そうに首をかしげて俺を見ている。

――どこかで会ったことがある。

ふわりとよみがえりそうになる記憶になぜか恐怖を覚えた。気のせいだと自分に言い聞かせていると、暗闇から「悠翔さん」と呼ぶ声がした。見ると、若い女性がスマホのライトを頼りに歩いてくる。

「こっちに公園なんてありませんよ。暗い所に女をひとりで行かせるなんて――あっ」

俺に気づいた女性が慌てた様子で頭を下げた。

「お話し中に失礼しました」

「うちの従業員だ」

男性が目線を外してくれたのでホッとした。

「はじめまして、季俣埜乃と申します」

「――尾花です」

屈託のない笑みを浮かべる季俣さんに、

「その門の向こうが公園らしい」

と店主——悠翔さんが公園の門を指さした。

「許可をもらってるので、明日からは入れるだろう」

「そうなんですね」

ふたりの会話を聞いていると、急に居心地の悪さを感じた。

「あの……じゃあ、失礼します」

モゴモゴと言い今度こそ車のドアに手をかけた。なぜだろう、苦い味が口の中に広がっている。

「キッチンカーをしているんです」

「え?」

ふり向く俺に悠翔さんは言った。

「基本は和食ですが、席に着いて食べてもらえます。この公園の駐車場でしばらくの間、営業します。よかったら奥様と一緒にどうぞ」

なんと答えて車内に戻ったのかわからない。エンジンをかけると、頭を下げることもせずに走り出した。

曲がり角で左折しても、嫌な予感がずっと追いかけてくる気がした。

家に帰ると、さくらはテーブルにつき紙バンド工作に精を出していた。紙バンドは、こより紐を何本も並べて糊付け（のりづ）けしたもので、元々は米袋を縛ったりするための梱包（こんぽう）材料だった。今では手芸用として使われ、様々な色を紙バンドにつけていて、うちの工場でも生産している。

紙バンドを編み込むことで、小物入れやコースター、カゴやバッグを作ることができる。

さくらはどうやら犬の形のカゴを作っているらしいが、目の位置が寄りすぎていて間抜けな顔になっている。

「お帰りなさい。今日は遅かったのね」

「ああ、田子の浦に行ってた」

「公園から見る工場夜景が映（ば）えスポットになっているんですって」

さくらが工場夜景という言葉を知っているとは。俺と違い社交的なさくらだから、いろんなサークルで情報を仕入れているのだろう。

「キッチンカーの店主から声をかけられたよ。明日から営業するらしい」

「あらいいわね。夜も暖かくなってきたし、たまにはそういうところも行ってみたいわ」

ひと段落したらしく、さくらはテーブルの上を片づけて夕食を温め直している。

「そういえば河田さんはお元気？　お子さんが生まれるそうね」

「なんでお前がそのことを知ってるんだよ」

「結婚する時にふたりで挨拶に来てくれたじゃない。奥さんとＬＩＮＥを交換したのよ。子どもが生まれたらお祝いを贈らなくちゃ」

さくらは人生を楽しんでいる。俺にもそんな日が来るのだろうか。早く仕事を辞めたい気持ちはあるが、いざそうなったらなにをして過ごせばいいのかわからない。

テーブルの下にある旅行のパンフレットを取り出す。出発日は今月から八月までの期間に何回か設定されているが、早めの申し込みをしないと埋まってしまうだろう。

「なあ――」

「母から電話があったの」

「え？」

さくらが迷うように視線を落としている。さくらの母親は父親が亡くなって以降、静岡市でひとり暮らしをしている。

「最近、腰痛がひどいって言ってたでしょう？　介護認定の申請をしたら要介護1がおりたんだって。買い物にも行けないみたいなの」

「そりゃ大変だな」

「ゴールデンウィーク中は兄さんが帰省してくれるからいいんだけど、入れ替わりで一週間ほど戻ってもいい？」

「ああ」

「いない間、大変かもしれないけどごめんね」

グツグツとなにかが煮える音が聞こえる。

「いいさ。コンビニでもスーパーでもなんでもあるから」

「戻ってきたらキッチンカーに行きましょうね。旅行もそれから考えるから」

今はそれどころじゃないのだろう。さくらは気もそぞろな感じだ。

「軽自動車で帰るんじゃ大変だろ？　俺の車を使えばいい」

「すごく助かるわ。山のように備蓄品を買わないといけないだろうから」

義母にもずいぶん会ってないな……。父親が亡くなった時から幾度となくここで一緒に暮らすことを提案してきたが、住み慣れた家を離れたくないそうだ。

今夜のメニューはカレー。俺の好物である反面、さくらは辛い物が苦手。

そういう時、さくらは自分だけ別のメニューを作る。子供がいる頃は普通に思っていたが、今ではふたり暮らし。ふたつの主菜を作るのは面倒だろうと声をかけても、さくらは作るのを止めない。

今日はパスタらしいが、味つけしていない麺が丸皿に入っているだけだ。カレーを食べ進めていると、味噌汁の椀(わん)を手にさくらは席についた。なかには真っ赤なポタージュのようなものが入っている。

「なんだそれ」

「つけナポリタンっていうんですって。サークルの友だちに教えていただいて、昼はよく食べてるのよ」

箸ですくった麺を椀の中につけ、さくらは美味しそうに食べている。

つけ麺ですら一度くらいしか食べたことがないのに、つけナポリタンなんて奇想天外すぎる。凝視する俺に気づき、さくらはおかしそうに笑う。

「食べづらいからそんなに見つめないでよ」

「しかし、つけナポリタンって……」

「富士市の新しいご当地グルメなんですって。今じゃいろんなお店で食べられるのよ。よかったら食べる？」

「……いらん」

さくらの世界はどんどん広がっていく。逆に俺の世界は日々狭くなり、やがてひとりになってしまう。マイナス思考をカレーと一緒に呑み込んだ。

食後、さくらは実家に戻るための荷造りをしていたが、気づくとテーブルでまた小説を読んでいる。見るともなしにテレビを眺めていると、やおらパタンと本を閉じた。

「今回もおもしろかった。まさか、犯人が先生だったなんてビックリ」

いつものようにネタバレを披露してきた。

「もう二巻目も読み終わったのか」

「時間をもらえてるのは重春さんのおかげ。毎日好きなことができて幸せよ」

仕事ばかりで家のことはさくらに押しつけてきた。子どもたちが巣立った今、彼女には好きなことをして過ごしてほしい。その日あった出来事を聞くだけで、俺はじゅうぶんだと本気で思っている。

「このシリーズはあと三冊あるの」

「シリーズものは五巻以上ないと、だろ？」

そう言う俺にさくらはホクホクとした笑みを浮かべた。

「なあ、お義母さんだけどやっぱりこっちに呼んだほうがいいんじゃないか？」

「猫がいるからダメなんですって。ほら、猫って場所が変わるとダメだから」

「あの茶色の猫か。今、いくつだっけ？」

「十八歳のおばあちゃん。耳も遠くなっててかわいそうなの」

俺も同じだな。勤務場所が変わっただけでこんなにダメになっている。

さくらはなんでも話してくれているのに、俺は自分の気持ちを吐露することができずにいる。もう何年も、何十年も、この先も。


「マジで信じられないっすよ」

職場の近くにある居酒屋は、仕事帰りの客でにぎわっていた。

さっきからビールを手に管を巻いているのは河田だ。

「俺らの努力をちっともわかってないんすよ。若いからってバカにして、こういうのに年齢なんて関係ないっすよね？」

「それを老齢の俺に聞くのか」

軽くいなしてから店員にウーロン茶をふたつ頼む。

「部長なんて普段は座ってるだけですよね。企画書をろくに見ようともせずに却下、開発費用もカット。なんのための部長職なんだ、って言いたくなりますよ」

山本という部長は廊下で会っても挨拶もしない。いつも怒ったような顔で机に座っていて、あれじゃあ河田も大変だろう。

「まあ、そう言うな。上は上で色々あるんだろうから」

酒が飲めないからこういう席は苦手だ。今日は河田から『プロジェクトのことで』と言われたのと、さくらが三日前から帰省しているのでやって来た。

「だからって許せませんよ。そもそも人としてどうかと思うんです」

今は河田が立ち上げようとしている企画の話だ。あっさり却下されたらしい。

俺も主任時代はこんなふうに愚痴られていたのだろうか。

テーブルには田子の浦港で水揚げされた魚から作られた黒はんぺん、ピーナッツ入りのなますが置かれている。普段はあまり口にする機会がない『ご当地グルメ』というやつだ。ただ、桜えびとしらすの載ったパスタは好みじゃない。麺なんかないほうがうまいに決まっている。

「で、俺の企画はどうなったんだ?」

河田の新しい企画の話はもういいだろう。それより自分の企画の行方を知りたい。

鼻の頭まで真っ赤に染まった河田が、「ああ」と椅子にもたれた。

「あいかわらずヤバいままですねぇ」

「具体的には？」

「フロテを……ああ、また略しちゃいました。フローテーションを軽めにするとインクがはがれずに残ってしまいます。漂白しないならなおさらっすよ」

水槽で泡を発生させることにより、インクを付着させ取り除くことをフローテーション法と呼ぶ。俺が出した企画ではその後の漂白作業も省略している。

すべての過程を短縮することで、ひとつのトイレットペーパーを作るのに掛かる経費を削減するというものだ。

ビールを飲み干した河田がグイと俺に顔を近づけた。

「作業を省けば大幅な経費の削減にはつながります。代償としてインクが体についてしまいます」

「しかし――」

「試作品を作りました」

バッグから鉛色のトイレットペーパーを取り出し、河田はテーブルの上に置いた。

「こんなふうにインクが溶けてヤバい色になってます。オシャレに見えなくはないすけど」

触ってみても指先にはなにもつかない。ウーロン茶がグラスに作る水滴で濡らしてから触ると、わずかに灰色のシミがついた。

「これじゃあとても商品として販売できない。既製品を上に被せてダブル仕様にしても、濡れてしまえば同じです」

「…………」

「漂白作業を抜くとしても、無漂白のトイレットペーパーはすでにあります。ということでヤバいすね」

なんだ、と肩の力が抜けた。

結局はダメだということか。わざわざ飲みに連れ出してまで話すことじゃないのに。

「まあ、任せてください」

取りなすような言葉に「ああ」とうなずくしかなかった。河田は黒はんぺんを口に運ぶと、なにか思い出したような顔で俺を見た。

「さくらさん、実家に戻ってるんですよね？　家のほうは大丈夫ですか？」

「一週間くらい平気だ」

本当はなにひとつやっていない。シャツは今週ぶん用意してあったし、ひとりならゴミだってそれほど出ないので溜めておけばいい。

「早く戻ってきてほしいですね」

河田に嫁を紹介したのはさくらだ。四年前から家に顔を出すようになった河田は早く結婚したかったらしい。知らぬ間にさくらがサークルの友だちの娘を紹介し、あっという間に結婚が決まり式では仲人の席に座らされた。

「うちのも六月からは里帰りする予定なんで、家のこともやらないと」

「男は仕事してりゃいいんだよ」

そう言う俺に河田が「ぶほっ」とヘンな音を立てた。

「いつの時代の話ですか。今じゃ、男だって家事をやるのが当たり前ですよ」

「お前はやってるのか?」

「家事は分担制なんで、ゴミ出しとか風呂掃除はできますけど、食事がなあ……」

ぼやく河田からウーロン茶に視線を落とした。今どきの若いやつらはそういうものなのだろう。俺には関係のない話だ。

結婚した日から、家族のために必死で働いた。子どもたちが生まれた日のことは覚えているが、気づけば成長していた。さくらは家庭を守り、俺はより仕事に精を出してきた。

今でも子どもたちはさくらにしかなついておらず、帰省した時も俺への態度はぞんざいだ。

――そうするしかなかった。

する必要もない言い訳が頭に浮かぶ。

「……っ」

ズキンと胸をつかまれたような痛みが生まれ、うめき声をあげてしまった。

「ちょ、先輩、大丈夫すか」

「……ああ」

ギュッと目を閉じていると、少しずつ息がしやすくなってくる。気づくと河田の顔が間近にあった。

「最近、具合が悪そうですね。一度、診てもらったほうがいいですよ」

「うちのと同じことを言うなよ」

「マジで心配してるんです。先輩が死んだらみんな困りますから」

物騒なことを言う河田は、嫁が迎えに来たらしく荷物をまとめ出した。

死んだら、か……。そんな日が来ても困る人はいないだろう。働きアリはその役目をもうすぐ終えようとしている。

本来なら仕事を辞めても暮らせるくらいの金はある。さくらも『ふたりでのんびり暮らしたい』とよく口にしている。

辞められないのは、その後の自分の姿が想像できないからだ。さくらみたいに社交的ならよかったのにな。せめてあの旅行にだけは参加したいが、さくらはあの調子だし……。

会計をして外に出ると、駐車場には河田の嫁の軽自動車が停まっていた。俺に気づき会釈をしたので返した。

このまま帰ろうとも思ったが、ふと先日のキッチンカーとやらが頭に浮かんだ。

「行ってみるか」

家とは反対方向に車を走らせるが、やはり公園の駐車場の門は閉まっていた。公園の隣は堤防になっていて何台もの車が停まっている。ちょうど一台車が出て行ったのでそのスペースに駐車して外に出る。

春の風はまだ冷たく、上着を羽織ることにした。ウォーキングをしている人が門の横から出入りしている。

公園までは急斜面の通路になっていた。無意識に胸を押さえてのぼっていくと、先日は気づかなかった展望台が姿を現した。なるほど、ここから工場夜景を見るのか。さほど高くなさそうに見えるが、若い男女のはしゃぐ声が風に乗り聞こえている。

展望台を左に見ながら坂をのぼると、ようやく開けた場所に出た。広い敷地を黄色い照明がぽつぽつと照らしている。向こうに見える砂場には大きな船が展示されている。

近づいてみると、資料館として使われているようだ。奥にある堤防からは波の音だけが一定間隔で聞こえている。

キッチンカーは駐車場の真ん中にあった。先日会った女性店員――たしか季俣さんだったか――が、跳ね上げ式の扉を閉じているところだった。

俺に気づいた季俣さんが、「あっ」と顔を輝かせた。

「尾花さんですよね？　お久しぶりです」

「こ、こんばんは。季俣さんでしたか？」

「うれしい。覚えててくれたのですね」

そう言ったあと、季俣さんは申し訳なさそうにキッチンカーに目をやった。

「ちょうど今、閉店したところなんです。よかったらまたお越しください」

まさか居酒屋にいたとは言えず、あいまいにうなずいた。

「この公園には初めて入りました」

「すごくいいところですよ。昼間は富士山が見えて感動しちゃいました」

かわいらしい表情で笑う季俣さんからあえて視線を逸らした。

そう言えば、店主の姿が見えないが……。俺の視線に気づいたのだろう、季俣さんがすねたように唇を尖らせた。

「悠翔さん、片づけを押しつけて散歩に行ってしまったんですよ」

「そうでしたか。じゃあ、また来させてもらいますよ」

「ありがとうございます。あ、でも……」

社交辞令の言葉にほほ笑んだあと、季俣さんは急に表情を曇らせた。

「あの……十九日の日曜日だけは絶対に来ないでほしいんです」

「ん？」

「ヘンなこと言ってるのはわかっています。ちょっとその日だけは別の料理を出すことになっているので……」

よくわからないが、キッチンカーで食事をとる予定は今のところない。カウンター席での食事は、店の人との距離が近すぎて昔から苦手だ。

「十九日ですね。わかりました」

頭を下げて歩き出すと、すぐにスマホが着信を知らせて鳴いた。スマホを見ると、『さくら』と表示されている。

「もしもし」

『こんばんは。重春さん、もう家についた？』

「いや、河田と飲んでた。今はみなと公園にいる。ほら、前に話したキッチンカー……いや、それよりお義母さんの容態は？」

公園のベンチに腰をおろす。さくらと電話で話すなんていつぶりだろう。

『それがまだやらなくちゃいけないことがあって。もう一週間くらい、こっちにいてもいいかしら』

「構わんよ」

本当は困るが、介護で大変なのに我儘は言えない。

展望台の上ではカメラのフラッシュが雷のように光っている。

「戻ってきたらこの公園に来ようか。キッチンカーもしばらく出店してるみたいだし」

さくらと一緒ならキッチンカーで食事をしても問題なかろう。あいつは社交的だし、誰とでもすぐ仲良くなれるから。

『いいですね』と笑ったあと、

『そういえば今朝ってゴミ、出してくれた?』

スマホ越しの声が尋ねた。

「溜まってなかったから出してない」

『回覧板は届いてない?』

「ああ」

嘘をついた。昨日郵便ポストに入っていたが、玄関先に放置してある。宅配便の不在票もそのままだ。

『帰ったら台所のテーブルの下の棚を見て。そこにノートがあるから』

「ノート?」

『困ったらそれを見れば大丈夫。それじゃあ、そろそろ切るわね』

「ああ。おやすみ」

あっけなく切れた電話をしまい立ち上がる。芝生を舐めるように吹く風が、さっきよりも暖かく感じた。

河田は部屋の中を見るなりげんなりした表情を浮かべた。

日曜日の今日は朝から体調が悪かった。そんな中、突然河田が手土産を持ってやって来たのだ。

「想像以上にヤバいですね」

悪いほうの意味のヤバいだとわかる。たしかにコンビニ弁当の容器やお茶のペットボトル、新聞やちらしがマーキングするように散らばっている。洗濯機の前には汚れた衣類や下着、タオルが山になって久しい。

「忙しいんだからしょうがないだろ。トイレは綺麗にしてるぞ」

「マジできついっすよ。でも、先輩の弱点が見えてうれしいのもありますけど」

嫌味なやつだ。どこになにを片づけていいのかわからないんだから仕方がないだろ。

普段着の河田を見るのは久しぶりだ。緑色のパーカーに黒いジーンズの河田が、テーブルの上に置いたノートに気づいた。

「なんすか『家事ノート』って。さくらさんの字ですよね？」

「それはいいんだよ」

取り上げようとするが、俺の手が届かない位置にノートを持ち上げられてしまう。

そのままの恰好で河田はノートをめくった。

「家事のマニュアルじゃないですか。イラストまでついてて、これは使えますね。使ってなさそうだけど」

「うるさい。ほしいならやるよ」

「元企画開発部の旦那にはピッタリ。先輩、マニュアル重視の人間ですから。さくらさん、そういうこともわかってるんですねえ」

さくらが作った『家事ノート』は一応読んではみた。が、家事は俺の役割じゃないため実践には至っていない。そもそも、部屋が汚いのはさくらが帰ってこないからだ。

「土曜日までこんな汚い部屋でどうやって過ごすんですか。しょうがない。ちょっと一緒に片づけるとしますか」

「俺はいい」

「じゃあ勝手にやりますよ」

腕まくりをした河田はゴミ袋を片手に片づけていく。それが終わるとノートを見ながらシンクに溜まった湯呑を洗っていく。
「茶渋にはクエン酸がいいんですって。あ、これか」
シンクの下にある棚からスプレーを取り出すと、河田はガチャガチャと洗ってい
く。
「先輩、洗濯機にそこの服を入れて回してきてくださいよ」
「は？」
「さくらさん、親の介護をして疲れて帰ってくるんですよ。せめて部屋だけでも綺
麗にしておきましょうよ。ノートだって時間かけて作ってくれたのに申し訳ないじ
ゃないですか」
鼻歌をうたいながら洗い物を進める河田をひとにらみし、ノートを奪った。確か
に疲れて帰ってきてこの部屋を見たらがっかりするだろう。
脱衣所につきノートを開く。

【洗濯の仕方】
①電源ボタンを押す
②『柔軟剤入り洗剤ボール』をひとつ入れてフタを閉める

③ 開始ボタンを押す
④ 終わったらすぐに干す

「なんだこれだけか」

ギュウギュウに詰まった洗濯機に洗剤を投入した。棚には漂白剤の入ったボトルや洗濯ネットもあったが使わなくてもいいということだろう。

台所に戻ると河田が郵便物を仕分けていた。男ふたりでなにやってるんだろう、と苦笑する。

河田はノートを手にするとパラパラとページをめくり出す。

「料理については載っていませんね。うちのが里帰りした時用に作ってくれないかな」

聞こえないフリで庭に出た。今日の富士山は頭を雲に覆われて山頂が見えない。

河田の指示により雑巾で物干し竿を拭く。


【洗濯物の干し方】
① 物干し竿を拭く

②ハンガーに衣類をかけて干す（シャツは一度さばいてシワを伸ばしてから干す）
③タオル類は〝じゃばら干し〟で乾かす
④靴下や下着は〝筒状つり干し〟で乾かす
⑤枕や毛布も時折洗う
⑥布団は洗わずに日干しするかクリーニングに出す

わかりやすくイラストも添えられている。

すべて干し終わる頃には疲弊していた。風に揺れる洗濯物を見て達成感を覚えるが、明日以降続ける自信はなかった。そもそも、いつ取り込めばいいんだ？

「ふたりでやると楽勝でしたね」

満足そうに隣でお茶を飲んでいる河田に礼を言いたいが、口が動いてくれなかった。しょうがない、これから飯でもおごることにしよう。

家の中に戻ろうとした時だった、激しい痛みが胸を襲った。あまりの衝撃に声も出せないままその場にうずくまる。

「先輩!?」

河田の声が風にさらわれるように遠ざかっていく。

息を吸おうとしても肺が機能してくれない。どんどん目の前が暗くなり、胸の痛みだけが大きくなっていく。

ああ、俺は死んでしまうのか……。

最後にさくらに会いたかった。家事をやれたことを自慢したら彼女はよろこんでくれただろう。あの笑顔を見てから命を終えたかったな……。

担当医師は俺の病名を『心臓神経症』だと説明した。

「心電図やエコーで異常は見当たらないですね。消化器疾患もありません」

循環器科の診察室。冷たそうな目をした医師は俺ではなくパソコンとにらめっこしながら検査の結果を伝えている。そっと胸を押さえても痛みはなかった。

昨日、俺は救急車で搬送されたそうだ。目が覚めると緊急外来のベッドの上だった。そのまま一晩入院し、今日は人間ドックみたいな検査の連続で一日が終わった。

その結果、つけられた病名がこれだ。

「つまり体に異常はないということですか？」

黒メガネをかけた医師は俺の質問には答えず、

「なにかストレスや不安はありませんか？」

　逆に尋ねてきた。

「いや、特には……」

「おそらく、心的要因から来る痛みかと思われます。規則正しい生活をしてストレスをなくすようにすれば治まるでしょう。明日、詳しい血液検査の結果が出ますから、それまで入院できますか？」

「明日は仕事なんで無理です。すぐ退院させてください」

　今日だって急に休んでしまっている。

「わかりました。それでは、明日の午後、電話でいいので結果を聞いてください。異常があれば検査日の予約も取ってもらうことになります」

「帰っていいってことですよね？」

「はい。お大事に」

　もう俺に興味をなくしたように医師はカーテンを開けて出て行った。看護師から会計に向かうように言われ、番号の書いた紙を渡された。

　ホッとするのと同時に呆れてしまう。体は元気なのに心が病気？　それであれほどの痛みが襲ってくるものだろうか……。

病室で着替えを済ませてから廊下に出ると、

「先輩！」

ボロボロと男泣きをしながら河田が駆けてきた。

「大丈夫なんすか？　マジでどうしようかと思いましたよ！」

「静かにしてくれ」

「なに言ってるんですか。急に倒れたんですよ！」

病院中に響き渡りそうな声で叫ぶ河田を落ち着かせ会計に向かった。河田に医師の話を伝えたが、無理やり退院したことは伏せた。こいつのことだから、また大騒ぎするに違いない。

会計場所は混んでいて、ベンチ椅子は埋まっていた。河田がひとつ席を見つけて俺を座らせた。

「なあ、さくらに連絡してないよな？」

ずっと気になっていたことを尋ねると、河田は「はい」とうなずいた。

「『さくらには言うな』ってうわごとのように言ってたから、今のところは黙っています。でも、このあと電話するつもりです。だって先輩、自分からは言わないだろうし」

「ちゃんとするさ」

嘘だった。介護で忙しいさくらに心配をかけたくない。あいつのことだからすぐに戻ろうとするだろう。

そこまで考えて気づいた。壁の時計は午後三時を指している。

「お前、今日仕事休んだのか？」

「半休を取ったんです。うちのも心配してて、相談したらそうしろって」

隣の席が空き、河田は大きな体を窮屈そうに小さくして座った。

「それは……悪かったな」

「平気です。それより明日から大丈夫すか？　しばらくは療養してくださいよ」

「そんなわけには――」言いかけて止めた。

一線を退いた今、俺でなくては務まらない仕事なんてひとつもない。

体まで壊してまでどうして会社にしがみついているのだろう。またじわりと胸が痛みを覚えた。

「俺のことはいい。さくらには絶対に言うなよ」

もしこのことを知ってしまったら、親の介護に集中できなくなる。

「それは無理な相談です。俺、第一発見者ですから」

「殺人事件みたいに言うな」

「なに言ってるんですか。死にかけたんですよ？」

かたくなな態度を崩さない河田にため息がこぼれた。

「三四三番でお待ちの方」

さっきから受付で同じ番号が呼ばれている。昔は名前で呼ばれていたのに、こういうのも個人情報保護というやつだろう。

「お名前で呼ばせていただきます。尾花さん、尾花重春さん」

「はい」

驚いて立ち上がる。看護師に渡された紙の存在を忘れてしまっていた。確認すると三四三番と印刷してある。謝ってから会計を済ませた。

河田のもとへ戻ろうと向きを変えた時、ベンチ席に座ろうとした女性が床にバッグを落としてしまった。開いた口から中身がこぼれてしまっている。

「すみません。すみません」

中身を拾うのを手伝う俺に女性は泣きそうな声で謝っている。聞き覚えのある声に、拾った口紅を差し出すと、相手が目を丸くして俺を見ていた。

「あ、君は……」

「やっぱり尾花さんですよね？」

うれしそうに笑ったのは、キッチンカーで働いている季俣さんだった。


「へえ、キッチンカーで働いてるんすか」

河田の声が狭い喫茶店に響き渡り、見舞客らしきふたり組が怪訝（けげん）そうな顔を向けてきた。

「声のボリュームがでかい」

「そうすか？」

気にする様子もなく河田は大きな口でプリンアラモードをほおばる。

病院地下にある喫茶店は空いていたが、窓がないせいでどこか息苦しい。今日は休みだという季俣さんを誘ったのは河田のほう。

「キッチンカーっておもしろいけど、値段が高いイメージがありますね」

「おい、失礼だろ」

河田を見ていると若い日の自分との差を思い知る。あの頃の俺は、上司を敬いながら恐れていたし、そうするものだと思い込んでいた。

まるで真逆の河田のことをずっと苦手だと思っていたが、関わりが増えていくなか、無防備で人懐っこい姿に懐柔されつつある。

早く気づけていたならいい上司になれたのだろうか。少なくとも半休を取ってまで会いに来てくれるほど、俺はやさしくしてこなかった。部署が変わってから気づいても遅いが。

そう考えると、さくらにも悪いことをしたな。仕事を言い訳に家のことをなにひとつしてこなかった。帰ったら家事ノートをしっかり読んでみるか……。

「採算度外視でやってますからうちのメニューは高くないと思いますよ。そもそも悠翔さんに儲(もう)けるという気持ちが皆無なので」

季俣さんの声に、思考の海から抜け出した。

「悠翔って旦那さんのことです?」

河田の質問に季俣さんは「まさか」と両手を横にふった。

「お手伝いをしているだけです」

てっきり俺もそうだと思っていたから驚く。ふたりで静岡を回っていると聞いていたが、夫婦でないとしたら泊まる場所とかはどうしているのだろう？

それより、そもそも肝心なことを聞いていないことを思い出した。

コーヒーで唇を湿らせているうちに、

「そういえば、季俣さんは誰かのお見舞いにきたんですか？」

河田が先に聞いてくれた。が、そのあとが悪い。

「先輩は昨日まで入院してたんですよ」

こいつの口の軽さは最大の欠点だ。

「もうなんともありませんから」

フォローする俺に、季俣さんは心配そうな表情を向けてくる。

「え……入院を？　大丈夫ですか？」

「平気です。明日からは仕事に復帰する予定ですし」

河田が俺をじとっとした目で非難してくる。なにを言われようと明日からは仕事に戻るつもりだ。役に立たなくとも迷惑だけはかけたくないから。

季俣さんが、「私は」と口にした。

「定期的に静岡市にある病院を受診していました。今は仕事があるのでなかなか戻れなくてここの病院で診てもらっているんです」

春の間は富士市に滞在するらしく、休みもバラバラなため紹介状を書いてもらったそうだ。

「病名って聞いちゃマズいっすか?」

河田は皿底のカラメルまで飲み干している。

「精神科を受診しています。服薬もなくて、ただの経過観察なんですけど」

季俣さんの表情が曇ったように思え、河田に「おい」と声をかけた。さすがの河田も気づいたらしく、ギュッと口を閉じてくれた。

「気を遣わないでください。もう心は元気なんですけど、安心したくて続けているだけなんです」

過去に起きたことが今の生活を侵食する。俺にも経験がないわけじゃない。

押し黙る俺たちに季俣さんは慌てた様子で首を横にふった。

「こんな話をしてごめんなさい。もう五年半前からなので、習慣みたいなものでして」

「えっ、五年半前⁉」

思わず大きな声を出した俺に、

「声のボリュームが大きいですよ」

と河田が茶化してくるがそれどころじゃない。

「五年半前になにが――」

言いかけた口を閉じた。人の過去をえぐり出してどうするつもりだ。

「失言でした、忘れてください」

俺を見つめる季俣さんがふと肩の力を抜いたように見えた。

「いいえ、構いません。担当医からもあったことをほかの人に話せるようになってほしいと言われているんです。せっかくだから聞いてもらっていいですか？」

「教えてください」

ずいと体を前にやる河田に対して、季俣さんは薄暗い照明に目を向けた。

「五年半前に大きな事故に巻き込まれたんです。その事故で両親が亡くなってしまって、私も精神が不安定になりました」

河田が息を呑む音が聞こえた。

「事故って……」

「電車の脱線事故です」

季俣さんの言葉がじわりと耳に染み込んできた。やはりそうだったのか。俺たちが乗っていた電車に季俣さんも……。

河田が愕然（がくぜん）とした顔のままそっと口を開くのが見えた。

「その事故って――」

膝を叩くと、ハッとした顔で河田が俺に視線を向けたのでわずかに首を横に振って合図を送った。たのむから余計なことは言わないでくれ。

なんとか伝わったのだろう、河田はオロオロしながらも口を閉じてくれた。

「兄は私が旅行に誘ったせいだと思っていますし、実際にそうです」

思い出すように遠くを見ながら季俣さんが続けた。

「私は二号車……脱線した車両に乗っていました。でも、トイレに行きたくなって隣の車両へ移動したんです。その時に事故が起きて……」

「そうだったんですか」

押し黙る河田に代わりあいづちを打った。

「自分を責めたこともありますが、今はキッチンカーの仕事をしながら穏やかに暮らせています」

列車のブレーキ音、土のにおい、叫び声。記憶の底に押し込めたはずの過去が、リアルに俺の脳裏にも浮かんでいる。

「……そのことを悠翔さんは知っているんですか？」

「詳しくは話していませんが過去になにかがあったことは知っています。ああ、初めて誰かに話せてスッキリした気分です」

その言葉に嘘はなさそうだ。ニッコリ笑う彼女と反対に、俺は言葉を失っていた。

グズッ。隣を見ると河田はもう目に涙を浮かべている。

「そんなことがあったんですね。マジでヤバいっすね」

「泣かないでくださいよ」

「泣けるに決まってるじゃないですか。そんなひどい運命ってないですよ」

洟をすすりながら、河田はボロボロと涙をこぼした。

「運命を受け入れるしかないと思って生きてきました。だとしたらなにをしても意味がないって。だけど、今の仕事に就いてから考えが変わりました。運命は変えられることだってある、って」

そう言ってから、季俣さんはバッグからA5サイズのフライヤーを取り出した。キッチンカーの写真と出店場所であるあの公園の地図が載っている。

「FINEと書いてフィーネという店名です。よかったら河田さんも来てください」

「もちろん行きます。すぐにでも行きますから！　ね？」

と俺を見るので仕方なくうなずいた。

駐車場の前で別れる時、季俣さんは憑き物が落ちたかのように晴れやかな表情をしていた。

河田の車に乗ったあと、俺たちの間に会話はなかった。

家に着く直前になってやっと河田が言った。

「さっきの話ですが――」

「わかってる。季俣さんには言わないでくれ」

「でも……」

減速しながら車は俺の家の前で停車した。

「季俣さんは立ち直ったんだから余計なことは言わないほうがいい。それに俺だって病人なんだからな。ストレスは大敵だ」

河田は押し黙ってしまったので礼を言い車から降りた。

一日ぶりなのにやっと帰ってこられた気がする。出しっぱなしの洗濯物を取り込み、家事ノートにある『洗濯物のたたみ方』のページを読みながら片づける。

頭の中にあの日のことがスローモーションで流れている。

季俣さん家族に起きたあの電車事故は、五年半前、日本中を騒がせた。その電車に、俺とさくらも乗っていたなんてとても言えなかった。

血液検査の結果を電話で聞いたところ、異状はみられないとのことだった。

ホッとして部署に戻ると、

「どこ行ってたんですか」

早速、南主任が咎めてきた。

「すみません、電話をしていました。主任が席を外しておられたのでメモを残しておきましたが」

「メモ？　気づかなかったわ。それより、山本部長から聞きましたが、まだ前のプロジェクトに関わっているんですか？」

「え？」

「河田主任が何度もプレゼンしてくるって部長、困ってました。あなたが強制しているわけじゃないんですよね？」

俺には『ヤバい』と言いながらも、実現させるべく動いてくれていたのだろう。河田はそういうやつだ。そう……昔からいいやつなんだ。

「とにかく」と南主任は咳ばらいをした。

「過去の遺物は忘れて、自分の仕事をきちんとしてください」

「主任」

一歩近づくと、同じ幅で南主任はあとずさった。ゆっくりと頭を下げると、南主任の汚れたパンプスが目に入る。

「ご心配かけて申し訳ありません。おっしゃるように河田に企画のことは時折尋ねておりました。今後は自分の仕事だけをしっかりとやるようにします」

「……ならいいけど」

南主任は逃げるように自分の机に戻っていった。

椅子に座り部署の中をぐるりと見渡す。あとで河田に謝っておこう。俺の企画を破棄してくれ、と言ったら驚くだろうな。

これからはのんびり仕事をしていこう。さくらに誘われているサークルに顔を出すのもいいかもしれない。

今日は木曜日。あと二日でさくらが帰ってくる。もう一度明日洗濯をするかな。引き出しにしまってあったフライヤーを取り出す。ＦＩＮＥはフィーネと呼ぶそうだが、調べてみたところ『終わり』を意味するらしい。

いろんなことは終わっていく。いつ自分が終わってもいいように、俺も終活ってやつをすべきかもしれない。


土曜日の午後に戻って来たさくらは、部屋を見るなり悲鳴を上げた。

「てっきりゴミまみれになってると思ってたのに！」

俺をみくびらないでほしい。まあ、河田のおかげであることはすぐに白状したが。

河田は入院したことを内緒にしてくれているらしく、ホッと胸をなでおろした。

そして今日は日曜。昨日はさすがに疲れたのか、さくらは夕飯を食べたあと早々に寝てしまった。

今朝になっても疲れが取れないらしく、どこかけだるさを隠せない様子だ。洗濯を俺がやることを申し出てみたが許可が下りなかった。

忙しく動き回るさくらをソファの上でチラチラ目で追ってしまう。まるで新婚時代のようだ。

やっと家事を終えたさくらにお茶を淹（い）れてやると、心底驚いた顔をしている。

「お茶まで出してもらえるなら、たまに実家に戻るのもいいかもね」

「お義母さん、お義兄（にい）さんのところに住むことになったんだろ？」

義兄を呼び出し家族会議をしたことを、さくらは戻って来る直前で教えてくれた。そのせいで一週間滞在を延ばしたそうだ。愛猫を新しい家に連れて行ったところ、問題なく過ごせたことも決め手になったらしい。

「本人は『向こうがこっちに住めばいい』って言い張ってるけどね。うちは昔からそうなの。人には指示するくせに、自分は動かないって遺伝を受け継いでるの」

「……悪いことをしたな」

思わず出た言葉に、さくらは「もう」と唇を尖らせた。

「お父さんのことはどうしようもなかったの。その話は終わり、ってもう何度もしたよね？」

「しかし……」

六十歳の記念に義父母を誘い旅行に出かけた。『紅葉電車ツアー』という企画で、貸し切りのローカル電車の車内から紅葉を眺め、温泉地に一泊するツアーだった。

あまりの人気に車両が増台されたと聞いたのは、脱線事故が起きたあとだった。

義両親を旅行に誘わなかったとしたら今の問題は起きていない。目の前で夫を亡くした義母やさくらの悲しみは俺の考える何倍も大きかっただろう。

あれから俺はずっと自分を責め続けている。

豪華客船の旅は俺には贖罪のつもりでも、あれ以来電車に乗れなくなったさくらには重荷でしかないだろう。そもそも、俺も港まで電車に乗る勇気はまだない。

お茶を啜ったさくらが、ソファに寄り掛かった。

「我儘を言ってもいい？　今日の夜は外食にしたいな」

こんなことをさくらが言うのは珍しかった。よほど疲れているのだろう。

「だったらスーパーでなんか買ってくるよ。米くらいは俺にだって炊ける」

「前にキッチンカーの話をしてたでしょう？　そこにしない？」

なるほど、それもいいかもしれない。同意するとさくらはうれしそうに笑った。

旅行のパンフレットはあとで処分しておこう。そう、これからの余生はストレスを溜めないことが大事なのだから。

みなと公園の展望台に上ろうと言い出したのはさくらのほうだった。

夕暮れの終わった展望台に人の姿はなく、薄暗い螺旋階段を休憩しつつ時間をかけてのぼると、急に目の前が開けた。

工場の建物を照らす明かりと何本もの煙突、向こうには藍色の空を抱くように富士山がそびえ立っている。

「これが工場夜景か」

普段でも見えるが、高い場所から見渡すのは初めてだった。

「すごく綺麗ね。あ、重春さんの会社の煙突が見える。ロケットの発射台みたい」

赤と白の煙突はやはりひと際目立っていた。河田と同じ感想を抱くのも無理はないだろう。

生まれてから今日まで、工場とともに暮らしてきた。定年を迎えたあとも必死で働いてきた俺に『もういいんだよ』とやさしく告げているように思えた。

「……仕事を辞めようと思う」

ずっと言いたかったことを言葉にすると、背負った荷物が軽くなるのを感じた。

俺の気持ちをわかっているようにさくらはうなずく。

「それでいいと思う。心臓神経症にストレスは大敵ですから」

「え？」

驚く俺の腕に自分の腕を絡めると、

「河田さんに教えてもらったの」

さくらはいたずらっぽく笑った。

「あいつ……」

「責めないであげて。私が電話をして聞いたんだから。だって、重春さん、あからさまに様子がおかしかったから」

ぐ、と言葉に詰まる。普通にしていたつもりだが、やはりさくらの目はごまかせなかったのか……。

「重春さんは家族のために必死でがんばってくれました。本当にありがとう」

「おい……」

「あなたのおかげだと子どもたちも感謝してるのよ」

そんなことはない。俺はぜんぶさくらに押しつけてばかりだった。

感傷的な空気を拭い去りたくて、「まあ」と俺は軽い口調で言った。

「俺も紙バンド教室とやらに行ってみようかな」

「あんなにバカにしてたのに？」

「バカになんてしてない。紙製品の消費に役立つし、今回掃除をしてみてわかったんだ。俺は意外に器用なのかもしれない」

自慢げに胸を反らすと、さくらはおかしそうにコロコロと笑った。

駐車場に目をやると、オレンジ色の照明のなか、ひと際光を放っている車が見えた。あれがキッチンカーなのだろう。たしか葬式みたいな車体の色だったのに、照明のせいか夕日色に見えた。

「あ……」

しまった。季俣さんが今日は来るなと言っていたことを今になって思い出した。ここまで来てさくらに告げるのは忍びない。顔を見せて断られたら、ファミレスにでも行けばいいか。そう、俺たちにはこれからいくらでも時間はあるのだから。

階段をおり、駐車場に入る。前回はウォーキングをしている人がたくさんいたのに、今日はひとりもいない。まるでキッチンカーが公園を貸し切りにしたみたいだ。

「あれがそのお店なの？　美味しそうな香りがもうしてるわね」

さくらが我慢できないというふうに足を速めた。

カウンターの手前に椅子が四つ置かれているが、客の姿はない。たしか特別メニューの日だと言っていたから、これから予約客が来るのだろうか。

季俣さんは俺の顔を見るのと同時に両手を口に当てた。まるで悲鳴を抑えているように見えた。

「余計なことは言うなよ」

そう言って姿を見せたのは悠翔さんだ。白い長袖Tシャツに漁師が着る水産カッパと呼ばれるビニル製の青色のズボンを穿(は)いている。これが制服なのだろうか。ズボンのベルトを通す部分にキーホルダーがぶら下がっているが、俺の視力ではそれがなんなのかよく見えない。

「すみません。これから食事は無理ですよね？」

尋ねるが季俣さんは眉をハの字にしたまま動きを止めてしまっている。

「構わない。どうぞ座ってください」

「あ、はい」

悠翔さんに言われ、ふたりで右の席から詰めて座った。さくらは興味深そうに店内を見渡している。

「落ち着いた内装で素敵ですね」

「ありがとうございます。メニューはないのでそのままお待ちください。代金は税込み千円です。埜乃、受け取ってくれ」

さくらが財布から千円札を二枚取り出すと、季俣さんがおずおずと受け取った。その瞳が俺を責めているように思えた。言いたそうで言えない様子に、やはり今日来たのはまずかったのだと知る。予約者がいるのなら急いで食べてずらかったほうがよさそうだ。

「キッチンカーで旅をされているのですか?」

さくらの質問に、悠翔さんがなにかを揚げながらうなずく。

「静岡県内を旅しています。富士市で出店するのは今日が最後です」

「え、今日で?　じゃあ来られてよかったわ」

うれしそうにパチンと手を打ったさくらに、悠翔さんは俺を見た。

「埜乃になにを言われたのかは知らんが気にしなくていい。どのみち今日ふたりがここに来ることはわかっていたから」

「悠翔さん、そのことは——」

季俣さんの言葉を制するように「なあ」と悠翔さんは俺たちに目を向けた。

「もし、今日が最後の食事だとしたらなにを食べたい?」

なんだ、その質問は。

「最後の?　そうねえ……」

無礼な質問なのにさくらは思案をはじめた。カウンターに両肘をつきあごを乗せる横顔が照明のせいかやけに綺麗だ。

「お豆腐料理でしょうか。この辺りは水が綺麗だからお豆腐も美味しいんですよ」

「そう答えてくれると思ってた」

盆に載せた料理を季俣さんが運んでくれた。

白米に味噌汁、豆腐のあんかけはシンプルで、ほかに具材は入っていない。小皿に載せてあるのは、さくらがよく作ってくれたがんもどきだ。

「がんもどきがある！　私、これ大好きなんです」

子どものようにさくらがはしゃいだ。

普通のがんもどきと違い、この辺りでがんもどきと言えば甘い味つけがしてあることが多い。見た目の茶色は醤油ではなく砂糖が焦げたもので、食事というよりおやつの感覚で食べていた。

「いただきます」

食べはじめたさくらを見て、俺も箸を手にするが悠翔さんの発言が気になって仕方がない。

『最後の食事』ってどういう意味だ？　それに『来ることはわかっていたから』というのも解せない。まるで富士市に来たのが俺たちを迎えるためだったようにも聞こえる。

胸の痛みがまた生まれそうな予感がし、大きく深呼吸をした。

俺はやっぱり死んでしまうのだろうか。だとしたら、死んでも死にきれない。これからは仕事を辞めてさくらと過ごしていこうと決めたのに。

「ああ、がんもどきが私の味つけそっくり」

さくらが心底安堵したような声で言うのと同時に、

「え、嘘……」

季俣さんが口に両手を当てた。彼女の視線はなぜかさくらに向かっている。

横を見ると、さくらの瞳から涙がこぼれていた。テーブルに染みをつくるほど、ボタボタ落ちる涙をそのままに、さくらは美味しそうにがんもどきを食べている。

「さくら！」

思わず声を上げる俺に、さくらは短く悲鳴を上げた。

「具合が悪いのか？　なにかあったのか？」

「え、私が？」

そう言う俺に、さくらは初めて自分が泣いていることに気づいたらしい。ハンカチで目じりを拭った。

「あまり美味しいから涙が出ちゃったみたい。ほら、重春さんも早く食べて」

「しかし……」

箸を手にするが、さくらの異変に驚いてしまい食べることができない。

いったいなにが起きているんだ……。

「とっても美味しいです。豆腐のあんかけが薄味でいいですね」

「だろ？　思い出の料理を食べれば心が休まるからな」

悠翔さんの言葉にさくらはうれしそうにうなずいた。その瞳に涙が浮かんでいないのを確認して、俺は箸をスプーンに持ち替えた。

出汁のやさしい香りがする。豆腐を食べると、口の中でほろほろと崩れ、体の緊張を解(ほぐ)していくようだ。がんもどきのほうは甘くて、さくらの言うように、昔食卓で並んでいた味とよく似ている。

ふわり、懐かしい光景が頭に広がった。

日曜日の昼下がり、幼い子どもたちと一緒にほおばる俺を、さくらはニコニコと見つめていた。記憶の中にいつもさくらはいて、やさしく俺を見守ってくれていた。

ああ、最後の食事としてこれ以上ふさわしいものはない。感傷的になりそうになる自分をすぐに否定した。最後じゃない、これは最後の食事なんかじゃない。

「ねえ」とさくらが俺に顔を向けた。

「これまでいろんなことがあったけれど、自分を責めないでほしいの」

「おい、こんなところで――」

「重春さんはいろいろ反省しているみたいだけど、なにひとつ間違いはなかったの」

いつもの口調じゃない。まるで過去を見つめるように穏やかな話し方だった。

悠翔さんに指示され、季俣さんが洗い物をはじめているが、俺たちの話に耳を傾けているのがわかる。

「五年半前の事故のことも気にしているでしょう？」

ガタンと音がした。見ると、季俣さんが目を見開いてさくらを見ている。本来なら止めるべきなのだろうが、不思議とそんな気は起きなかった。

箸を置いたさくらが体ごと俺に向けた。

「電車が事故に遭うなんて誰も思わない。あれは避けようのない運命だったの。だから、もうこれ以上自分を責めないで」

「でも俺は……」

「父が亡くなったのは重春さんのせいじゃない」

「……わかってる」

義父はひとりでカメラを手に車両を移動した。止めてさえいれば、ひとりだけ亡くなることもなかったのに。

「事故のあと、重春さんはこれまで以上に仕事に精を出した。だけど、ちゃんと私の心を支えてくれていたのよ」

やめてくれ。そんなんじゃない。俺は苦しむ家族から逃げたくて仕事に打ち込んだのだから。逃げ出したい気持ちにさいなまれる俺を、悠翔さんはまっすぐに見つめてくる。

「素直に受け取れ。夫婦間で嘘を言ってもしょうがない。彼女の本心なんだ」

お前になにがわかる。カッとしてしまいそうな自分を必死で抑えた。

カウンターの上で握りしめる拳に、さくらがそっと手を置いた。

「苦しむのは終わりにしましょう」

「……もう、帰ろう」

席を立つ俺にさくらは微笑を浮かべたままうなずいた。

店の外に出るとさっきまで混乱していた気持ちが少し落ち着くのを感じた。

「尾花さん」

季俣さんが店の外に出てきて俺を呼んだ。

「あの……」

自分もあの事故に遭った一員だと言いたいのだろう。わかっていたのに言い出せなかった。

季俣さんは迷うように視線を逡巡させてから、

「帰り道は十分にお気をつけください」

真剣な声でそう言った。意外な言葉に驚いたが、頭を下げて歩き出す。

帰り道もさくらはいろんな話をしてくれた。俺が忘れかけていた思い出たちは、彼女の口から語られることによりはっきりと光景が浮かんだ。

工場地帯を抜け、家につく頃にはすっかり夜が深くなっていた。

車庫に入れる前にさくらを先に車から降ろした。

エンジンを止めて息を吐く。不思議な夜だったな……。フロントガラス越しに見えるはずの富士山は、夜に隠れて見えなくなっていた。

ドアを開け、工場のほうへ目をやると煙突から水蒸気があがっている。美しくも儚（はかな）い白色をしばらく眺めてからドアをロックした。

玄関に回るとなぜかさくらがまだドアの前に立っていた。

「おい」

声をかけると同時に気づく。さくらがドアに手を当てて苦しげにうめいている。

「さくら！」

手を伸ばす前に、さくらの体は地面に崩れ落ちた。

——そこから先は、走馬灯のような記憶しか残っていない。

救急車の赤いライトに照らされたさくらの顔。総合病院までの道が混んでいたこと。『大動脈弁狭窄症』という病名が何度も医師の口から出たこと。緊急の手術をして人工の臓器に置き換える必要があること。同意書に書いた文字がおかしいくらい震えていたこと。

医師が口にした『今夜が峠です』という言葉が頭で騒がしく響き、耳を塞ぎたくなる。

気がつくと、俺は個室でさくらの寝顔を眺めていた。

青白い顔が月に照らされ、もっと冷たい温度に感じる。

「ごめんなさい」

意識が戻ったのだろう、さくらが弱々しい声でそう言った。

「さくら……」

「病気のことは知っていたの。明日、重春さんに話をしようと思っていたの」

なにを言っているのかわからないまま、さくらの手を取る。氷のような冷たさにたじろぎそうになる自分を戒めた。

「明日手術をするそうだ。すぐによくなるよ」

やさしく言ってやりたいのに声が震えてしまう。自分の体のことばかり考えて、さくらのことを重んじてやれなかった。

「手術が駄目だったら……」

「おい」

するりと手が解かれた。

「ちゃんと聞いて。どうしても言っておきたいの」

それは最後だからか？　唇を痛いほど噛んで叫びそうになる自分を止めた。

「家事ノートには続きがあるの。通帳とかを入れているクローゼット、わかるでしょう？　そこに入っているから」

「そんなのはいいんだよ。とにかく今は休んでくれ」

涙があふれ、さくらの顔がよく見えない。手の甲で何度も拭う俺を、さくらはほほ笑みを浮かべて見つめている。

なんでこんな時に笑っていられるんだよ。なんで俺なんかのことを心配してくれるんだよ。

「あの子たちには連絡したの？」

「今……こっちに向かっている」

「心配かけて申し訳ないわ」

天井に目を向けたさくらが、クスッと笑った。

「キッチンカーで食べたお料理、美味しかったわね。あれは最後の晩餐ね。一緒に食べられて幸せだった」

こんなの嘘だ。先に死ぬのは俺のほうだと思っていた。

ずっとつきまとっていた死の予感は、俺じゃなくさくらのほうだったなんて、そんなこと絶対に信じたくない。

「最後なんて言わないでくれよ。俺にはさくらが必要なんだよ」

俺たちはこれからなんだ。もう一度ふたりで新しい人生をはじめるんだよ。

「私ね、心から思うの。あなたの妻で幸せだった、って。なにひとつ思い残すことはないのよ」

「さくら……」

この世でいちばん怖いことはさくらがいなくなることだ。そんな明日が待っているなら、俺が死んだほうがよっぽどマシだ。

だけどあれが最後の晩餐なのだとしたら、もう二度とさくらに会えなくなる。

「俺も幸せだ。さくらがいてくれたから生きてこられたんだ。だから、生きてくれ。俺のためにこれからも生きてくれ……！」

これからやっとふたりで穏やかな日を過ごせるんだよ。俺を置いて逝かないでくれ。そのためならなんでもやる。なんでもやるから……。

医師と看護師がさくらに人工呼吸器をセットした。薬により眠りについたさくらは、口元にまだ微笑を湛えていた。

夜明け前、窓の外に富士山がその輪郭を浮かび上がらせる頃、さくらは呼吸を静かに止めた。

子供たちがそれぞれの家に戻ったあと、家の中からかろうじて残っていた温度が失われた気がした。

例年より早い梅雨入りのせいで、窓越しの富士山も雨にけぶっている。

「先輩、これどこにしまいます？」

河田が香典返しの入った段ボール箱を手にして尋ねた。さくらがいなくなってから、なにかにつけて来てくれている。

段ボールを受け取りクローゼットの中に仕舞った。

「明日から、本当にいいのか？」

慶弔休暇の間、河田は俺を企画開発部へ戻すために掛け合ってくれたそうだ。退職の意向を伝えるため南主任に電話した際に初めて聞いたことだ。

「もちろんすよ。主任の特権を行使しただけっす。それに、やっぱり先輩がいてくれないと戦力不足ですから」

あっけらかんと言う河田に、

「ありがとう。これからは部下としてがんばるよ」

頭を下げた。

「やめてくださいよ。先輩はこれからも先輩なんですから」

河田はそう言ってくれるが、これからは節度を持って俺なりに尽力していこう。

そういえば、とクローゼットの中を見渡す。さくらが言っていた家事ノートを探さないといけない。

通帳をしまってあるのはクッキーの空缶の中だ。

「河田、悪いがあそこにある缶を取ってもらいたい」

「はいはい」

背の高い河田が、クローゼットのいちばん上の棚に置いてある缶を取ってくれた。

中を開けるとそこには『家事ノート②』と書かれたノートが鎮座していた。

「これ家事ノートの続編ですか⁉　うわ、③もある」

ふたりで取り出し机の上に並べた。

家事ノートは全部で⑤まであった。『掃除編』だった一作目に続き、二作目は『料理編』。最後はネタに困ったのだろう、『ご近所づきあい編』まであった。

「さくらさん、先輩がひとりになっても困らないように用意してくれてたんですね」

泣き虫の河田はもうボロボロと涙をこぼしている。

さくらの書いた文字をそっと指先で触れてみた。あのやさしい笑みがはっきりと思い出せる。

俺は心配をかけてばっかりだな。これからはさくらの残してくれた言葉を胸に、毎日をきちんと生きていこうと思う。

遠くの空、雨雲がぽっかりと空いた場所から光が差し込んでいる。富士山がその姿を強く、やさしく浮かび上がらせていた。

「シリーズ物は五作ないといけないからな」

ノートを閉じると、さくらの笑う声が聞こえた気がした。

幕間　神代悠翔

老夫婦を見送って以来、君は塞ぎ込んでしまった。

しばらく休みを取ったあと、青い顔でやって来た君は俺に言った。

「尾花さん夫妻が遭った電車事故に、私も乗っていたんです。両親を亡くしました」

知ってるよ、と言えばよかった。

けれど、なぜか口にできないまま俺は「そうか」とだけ言い、エンジンをかけ車を走らせた。

求めていた答えじゃなかったのだろう、助手席の君は表情を曇らせた。

「これは偶然なんでしょうか？」

偶然なんかじゃない。

静岡市で会った実子さんも、河津町で会った雪音さんも、みんなあの電車に乗っていた。


電車事故により、大切な人を失っているんだ。

ポケットの中に入れたキーホルダーをそっと指先でふれてみる。

そう、俺もみんなと同じだ。大切な人の幻影を求めて生きている。


俺が有した能力は、あの事故で生き残った人の死が視えること。

彼らの最後の晩餐を提供するために県内を旅している。

「偶然だろう」

言えないのは、話してしまったら自分の過去を話すことになるから。

君は春雨に目を向けた。富士山を背にして俺たちは走る。


——次に死を迎える人のもとへ。

第四話　夏がゆがんでいる

掛川市

葉月鳴海（二十二歳）

私は今日も死にたい。

容赦なく照りつける太陽が、ヘルメット越しの頭をジリジリ焼いている。原付バイクで走っても風が熱くて、まるでサウナの中にいるみたい。メークだってとっくに汗で流れ落ちてしまっている。

おまけに日曜日ということもあり、掛川城へ向かう車で道は渋滞している。狭い道路なので左側から追い抜くこともできず、さっきから何度も信号に引っかかっている。

「あー、死にたい」

ウインカーを出し、右手にある駐車場にバイクを停めた。ヘルメットを取ると予想通り髪の毛は汗でへたってしまっている。ポケットの中からシュシュを取り出し、高い位置で髪を結んだ。

横断歩道を渡り、小さな書店のドアを引くとクーラーの風が気持ちいい。

「いらっしゃい。ああ、葉月さん」

タカさんが私の顔を見て相好を崩した。

「こんにちは」

「日曜日に来るってことは、友だちと会う前に涼みに来た、ってところかな？」

鋭いタカさんにヘラッと笑ってみせた。

近くの高校に通っていた私は、放課後よくここに来ていた。小説を買うこともあれば、二階にある屋根裏自習室で受験勉強をすることもあった。大学に進学してからも、こうしてたまに寄っている。この書店は私にとって休憩所みたいな場所だ。

これだけお世話になっているのに、私はタカさんの本名を知らない。常連さんや屋根裏自習室にいる小学生がそう呼んでいたのでマネしただけ。今さら聞くこともできず、愛称で呼び続けている。

「葉月さんももう大学生かぁ」

「そのセリフ、来るたびに言われている気がする。ていうか、四年生なんですけど」

「失礼。歳を取ると忘れっぽくってね」

タカさんがトレードマークの坊主頭をペシッと叩いた。四十歳くらいに見えるタカさんは、もともと伊豆市に住んでいたそうだ。同じ静岡県内でも掛川市まではずいぶん距離がある。なぜここで書店を開くことにしたのか、これまで聞いたことがない。

ぶるんとポケットに入れたスマホが震えた。見ると、渚と紗帆とのグループLINEにメッセージが届いている。

【渚】ごめん　ちょい遅れる

ぶるんとスマホが次のメッセージを表示した。

【紗帆】わたしも今から会社を出るところ　遅くなってごめんね

ムスッとする私を見てタカさんが首をかしげたので、スマホの画面を向けた。
「渚と紗帆、ふたり揃って遅れるんだって」
「ふたりが遅刻するのはいつものこと。高校生の時もよく言ってたよね？」

私、葉月鳴海と汐美渚、沖田紗帆は中学生の時からの親友だ。それぞれが夏を感じる名前という理由で、『夏三姉妹』とからかわれることもあった。自由気ままな渚が長女で、真面目な紗帆が次女、あたしはふたりについて回るさみしがり屋の末っ子ってところ。

今になって思うと、同い歳なんだから『三つ子』が正解だとは思うけれど。

同じ高校に進学するのも、私たちにとっては自然なことだった。

店内の本を物色して時間をつぶすことにした。小さな書店だけどここには七千冊もの本が並んでいるそうだ。

「ああ、死にたい」

無意識につぶやいていたことに気づき、ハッと口を閉じた。幸いレジのある場所にタカさんが戻っていたので聞かれずに済んだようだ。

高校の制服を着た男子生徒がふたり入店してきた。懐かしい制服に懐かしいカバン。

「こんにちは！」

タカさんに挨拶をし、二階へ上がっていく。屋根裏自習室で勉強をするのだろう。

背負っているリュックから鏡を取り出すと、やっぱりメークはうっすら残っている程度。

鏡に映っているのは二十二歳にしては幼い私。大学に進学した私と、社会人になった渚と紗帆との差は広がるばかり。大人っぽく見られたくて髪を伸ばしてみたけれど、うまくセットできずひとつに結んでばかりだ。

「で？」とタカさんが書類になにか書きながら尋ねた。

「なんで死にたいの？」

ああ、やっぱり聞かれてしまっていたんだ。ガッカリしたけれど、本当は聞いてもらいたかったのかもしれない。高校時代も、タカさんに愚痴りによくここに来ていた。

今日だって待ち合わせ場所である掛川駅へ直接行けばいいのに、ふたりが遅刻するのを見込んで寄り道したのは、タカさんに話を聞いてほしかったから。

「あのさ、うちの親……離婚するんだってさ」

「もう何年もその話をしてるよね？」

タカさんが書類に目を落としたまま尋ねた。

「今回は本気みたい。私が大学を卒業したら離婚するって。どっちについて行くか決めなくちゃいけないんだって」

両親はそれぞれに爆弾を抱えて生活している。たまに爆発すると激しい言い合いが起き、もっと大きな爆弾を手にして互いを見張っている。

父も母も、それぞれに話をするとやさしいのに、ふたり揃うとピリピリした空気になってしまう。一触即発の空気感は、何年経っても慣れることができない。

「それが原因で死にたいってこと？」

「そういうわけじゃないけど……」

死にたい願望は昔からあった。最近では口ぐせになっているらしく、ついポロリとこぼれてしまう。明確な理由があって死にたいわけじゃない。生きていく理由がないから死にたいだけ。

「思うんだけど」とタカさんが私と視線を合わせた。

「親が離婚しても、ふたりにとって葉月さんが子どもであることに変わりはないよ。それに、卒業したら東京で就職するんでしょう？」

「あ、うん」

そんなことを夢見た時期もあった。だけど、私にはちょっと厳しいみたい。

「そのつもりだったけど、東京に住んだら電車移動が必須でしょ？　私、電車が苦手だから……」

「ああ、ごめん」

申し訳なさそうに表情を曇らせるタカさんに、慌てて手を横にふる。

「タカさんが謝ることじゃないって。自分でなんとかしなくちゃいけない話だから」

あの電車事故に遭遇して以降、どうしても電車に乗ることができない。掛川駅で切符を買ったことはあった。だけど、車両を見た途端足が震えて動けなくなってしまったのだ。

「あれからもう、五年以上が経つんだね」

タカさんが感慨深げにカレンダーを見た。秋になれば六年経つことになる。

沼津市と浜松市をつなぐ鉄道『静岡東西線』が開業したのは今から十年前のこと。山間(やまあい)を縫うように作られていて、ローカル線ならではのイベント電車が人気だった。

十一月は紅葉電車に乗るために全国から人が押し寄せ――。

……止めよう。親だって友だちだって、あの事故のことを誰も口にはしなくなった。思い出せばそのぶんつらくなることを、誰もが知っているからだ。

「そろそろ行くね。また遊びに来るよ」

「いつでもどうぞ」

外に出ると、アスファルトからの熱で体温が一気に上がるのを感じる。ジリジリとした熱を頭に受けながら歩く私は、まるでゾンビのよう。生きているのか死んでいるのかわからないところもそっくり。

横断歩道を渡ると、駐車場に軽トラックがバックで停車しようとしていた。

「なにあれ」

黒と白のストライプみたいな塗装が塗られている。まるでお葬式で見る布みたいなデザインだ。

ゾンビの私にピッタリかもしれない。

そんなことを考えながらバイクに近づくと、

「すみません」

低い声が私を呼び止めた。

運転席のドアから背の高い男性が降り立った。年齢は三十歳くらい。イケメンだが髪は寝起きかと思うほどのボサボサ、白いTシャツもシワだらけだ。腰からぶら下がっているのは、『わにゃん』というキャラクターのキーホルダーだ。男性がつけているのは違和感がありまくりだ。

バイクにまたがってカギを差してから「はい」と答える。掛川市は治安がいいけれど、今のご時世なにが起きるかはわからない。そして、目の前にいるこの人は、あからさまに怪しげだ。もしもヘンな人だったらアクセル全開で逃げなくっちゃ。

「ここって書店の駐車場で合ってる?」

「はい。そうです」

「ならよかった」

男性は軽トラックの荷台についてあるドアを引っ張り上げた。木製のカウンターの上に、逆さまになった丸椅子が四つ置かれてある。荷台の中には冷蔵庫や食器の入った戸棚が見えた。

「ひょっとしてキッチンカーですか?　ここで出店するのですか?」

だとしたら渚に教えなくちゃ。渚の趣味はキッチンカー巡り。十月におこなわれる掛川祭でも、どんな出店があるのか今から楽しみにしている。

「しばらくはここにいる予定」

ぶしつけにじろじろと観察してしまう。こんな身なりでさらにお葬式っぽいキッチンカーなんてあまりにも変だ。

「なんのキッチンカーなんですか?」

「基本は和食だが……」

バイクを下りる私に、なぜか店主は迷惑そうな表情を浮かべた。

「頼むから、名前を言わないでくれ」

「名前……？」

「君に見覚えはないけれど、関係者ってことはありえるからな。顔見知りになってしまったらうちの従業員が悲しむ」

「……はあ、そうなんですね」

かなり変わった人らしい。愛想笑いを貼りつけ、急いでバイクに戻った。

「悠翔さん、ちょっといいですか？」

助手席から降りてきた女性が店主になにか言っているけれど、私には関係のないこと。とにかくこの場所を離れたほうがいい気がする。

走り出すと、生ぬるい風が体にまとわりついてきた。

なんにも楽しくない。なんにもおもしろくない。

「ああ、死にたい」

つぶやく声はセミの鳴き声に消されるほど小さい。

掛川駅は地方にしては大きな駅だ。

新幹線の駅だけでなく、ＪＲ東海道線、天竜浜名湖(はまなこ)鉄道の駅もある。そして、少し離れた場所にあるのが、静岡東西線の駅だ。

待ち合わせ場所はＪＲ東海道線の掛川駅。改札口を出たところで紗帆が待っていた。黒いジャケットに黒いパンツ、トレードマークのメガネも黒ぶちだ。

「紗帆」

呼びかけると、紗帆は目を細めて私であることを確認した。

「ああ、鳴海。遅くなってごめんね」

「休日出勤なんだから仕方ないよ。思ったより早かったね」

「午前中で終わるはずだったんだけど、クライアントのＯＫがなかなか出なくてね。ダッシュで会社を出て、文字通り電車に飛び乗ったよ」

真面目な顔で応える紗帆は、高校時代は生徒会で副会長を務めていた。誰もが大学に進学するものと思っていたのに、親の反対を押し切って静岡市にある中小企業に就職をした。

入社四年目にして課長補佐に任命されたのは、さすが紗帆ってところだ。

「渚はまだなの？　あの子、どうせゲームでもしてたんでしょ」

紗帆がキョロキョロと辺りを見渡す。

「渚はゲーム好きだからね」

渚は派遣社員をしながら、趣味であるゲームとキッチンカー巡りに精を出している。ゲーム配信の動画は人気で、それなりの収入もあるとかないとか。

噂をしていると古い軽自動車が送迎ゾーンにやって来た。

「ごめん、遅刻した！」

渚は窮屈そうに体をねじり、助手席の窓から顔を覗かせている。

「わたしも今来たところだから」

紗帆がうしろの席に乗り込んだので隣に乗る。渚の車は助手席が物置きと化していて乗ることができない。今も、バッグやなにに使うのかわからない大きな巾着みたいな袋が置かれている。

「お待たせ。じゃあ、ランチに行こう」

渚がそう言ってアクセルを踏んだ。前に会ってから二週間しか経っていないのに、渚はさらに丸くなったように見える。本人に言うと烈火のごとく怒るだろうから言わないけれど。

「今日はどこのお店に行くの？」

紗帆がスマホをチェックしながら尋ねると、バックミラー越しの渚がニヒヒと丸い頬を上げた。

「それがさ、新しいキッチンカーを発見したの」

「タカさんの店の前に出ているやつ？」

さっきのキッチンカーを思い出して尋ねると、渚は「ん？」と首をかしげた。

「タカさんとこの駐車場にも出てるの？　あたしが言ってるのは、タコライスのキッチンカーのことだよ。沖縄出身の夫婦が経営してるんだって」

「またキッチンカーでランチするの？　真夏に外で食べるのは厳しいよ」

紗帆が文句を言いたくなる気持ちもわかる。前回、渚に連れられて行ったのは、ここから一時間以上走った山奥にあるキャンプ場。カレーのキッチンカーが出店していて、渚的に言わせると『スーパーレア』だそうだ。

猛暑のなか、辛いカレーを食べたせいで、帰り道は三人ともフラフラになってしまった。

そもそも、なんでキッチンカーに魅了されるのだろう。私からすれば、ただの出店にしか思えないんだけどな。

「あたしだってそれくらい考えていますぅ。今回はね、涼しいところで食べられるんだよ」

「キッチンカーで涼しいところ？　それってどういう場所なの？」

座席の間から顔を出すと、渚は指先を斜め上に向けた。丘の上に掛川城の天守閣が見えている。

「お城で食べるの？」

驚いて尋ねると、「まさか」と渚よりも先に紗帆が否定をした。

「掛川城は『東海の名城』と呼ばれた場所。そんなところで食べるなんて山内一豊さんが許すはずないよ」

山内なんとかさんは、たしか掛川城を築城した人物だ。歴史の授業で何度も習っているけれど、詳しいことは忘れてしまった。

「さすが紗帆。でも残念ながら掛川城ではないんだよねえ」

渚が口の中で笑った。

「じゃあどこ？」

紗帆がメガネを中指で押し上げた。考えごとをする時の紗帆のクセだ。

「もしかして二の丸茶室？　ううん、由緒正しいあの場所で飲食ができるとは思えない」

「それはついてからのお楽しみってことで」

さっきよりも渋滞は緩和されていて、書店の前の道も止まらずに進めた。駐車場に目をやるが、運悪く信号待ちのトラックのせいでキッチンカーは見えなかった。右に曲がると掛川城へと続く上り坂が現れる。再建されたという城内にはたくさんの観光客の姿が見える。

「あ、わかった」突然紗帆がそう言った。

「ひょっとして中央図書館？」

「ご名答」

ハンドルから左手を離し親指を上げる渚。

掛川市には三つの市立図書館があり、中央図書館は掛川城のそばに平屋造りの大きな敷地を有している。

たしかに図書館なら涼しいけれど、キッチンカーが入れるスペースなんてないはず。それに図書館は飲食禁止だ。

「駐車場にキッチンカーが出店してるの。中央図書館の地下にあるスペースでなら食べてもいいんだって」

渚の説明により私の心配は杞憂（きゆう）に終わった。

駐車場に車を停めると、『めんそーれ』といういかにも沖縄らしいタコライスのキッチンカーが出店していた。ハイビスカス色の車体に沖縄民謡が程よいボリュームで流れている。

キッチンカーらしい雰囲気に、渚ほどではないけれどテンションが上がる。さっきの白黒のキッチンカーとは大違いだ。

あの店主、たしか『悠翔』って呼ばれていたっけ。相当変わった人だから〝君子危うきに近寄らず〟だ。しばらくはタカさんの店に行くのも控えなくちゃ……。

タコライスとさんぴん茶を手に図書館に入り、手前の階段を下りるといくつかのテーブルと椅子が開放されていた。席は満席に近かったけど、渚がダッシュで確保してくれたおかげで座ることができた。

席につくなり渚は大盛りのタコライスをほおばって悶絶している。

「やっぱり沖縄といえばタコライスだよねえ」

「まあ、夏らしい選択だと思う」

紗帆も深くうなずいている。

白米の上にレタスと味つけしたひき肉、鮮やかな角切りのトマトが載っていて、上から真っ赤なソースがかかっている。食べてみると、爽やかな辛さが口の中に広がった。

美味しいものを食べるたび、美しい景色を見るたびに、罪悪感が胸に広がる。自分には幸せを感じる資格がないと思えるのはなぜだろう。

「ちょっと」と、渚が私の顔を覗き込んだ。

「どうせまた『死にたい』とか思ってるんでしょ」

鋭い渚に言葉が詰まった。前に会った時、つい口にしてしまったことを覚えているようだ。

紗帆もメガネ越しに呆れた目を向けてきたので、急いで首を横にふった。

「そんなことないって。前の時はちょっと落ち込んでただけ」

「本当に?」としばらく渚は疑うように見てきたが、なにか思い出したようにパアッと顔を輝かせた。

「そうそう、大学にいい感じの人がいるって言ってたもんね」

「そんなんじゃないよ。ゼミが一緒になっただけ」

「デートに誘われたって言ってなかった?」

「デートじゃないし。ただお茶しようって……」

小声になる私を見て、渚がフンと鼻息を吐いた。

「それをデートって言うんだよ」

「だから違うんだって。すっごく迷惑してるんだから」

関わってほしくないのに、彼は私のテリトリーにどんどん入って来る。前に会った時だって愚痴として言ったはずなのに。

「鳴海はもう少し恋をしたほうがいいと思うよ」

紗帆までそんなことを言ってくるので、口をへの字に結んでみせた。

本当はずっとひとりの人に恋をしてると伝えたら、ふたりは驚くだろうな……。長すぎる片想いを誰にも話せないまま、もう何年過ぎたのだろう。恋とか愛とか、単純な気持ちではなく、永遠に守り続けたい宝物のような恋。誰にも知られたくないし、話したくもない。

「そういう渚はどうなのよ。キッチンカーとゲーム情報ばっかりで恋愛関係の話はないじゃん」

わざと明るい口調でツッコミを入れると、渚はぶうと頬を膨らませた。

「あたしは恋愛よりも趣味優先！　キッチンカー巡りをして、家でゲームしてれば幸せなの」

「それわかるな。わたしもなんだかんだ仕事していると幸せだし」

幸せだと最後に感じたのはいつのことだろう。あの電車事故がなにもかもを変えてしまった。今じゃ、趣味と呼べるのは小説を読むことくらい。それだって、元々は私の趣味ではなかった。

――彼女の顔を思い出す。小説を楽しそうに読む美しい横顔。

「あたしたち、本当は四人組だったのにね」

急に渚がしんみりした口調で言う、じわりと胸の奥に痛みが生まれた。

紗帆も、メガネ越しの瞳を伏せてうなずいている。

やっぱり私と同じように、ふたりも思い出していたんだ……。普段は意識して考えないようにしているのに、三人で会うとどうしてもこの話になってしまう。

「本当ならハルもここにいるはずだったのにね」

大好きだった友だち、そして長い片想いの相手の名前を渚が口にした。

いつものように私は話題を変えたがる。

だって、彼女を思い出すと息が吸えなくなるから。生きていることが苦しくなるから。死にたくなるから。

後藤晴香と仲良くなったのは、高一の夏服に変わる頃だった。

私と渚、紗帆の三人は、クラスで目立たない存在で、男子から『夏三姉妹』とからかわれても言い返すことができない、いわば二軍や三軍のポジションだった。

晴香は違った。長くてサラサラの髪、大きな瞳にスクールメークもバッチリ。制服の上から見てもスタイルがよくて、アイドルにでもなれそうなほどかわいい。

それなのに、どのグループに所属することもなく、孤高を愛する人という印象だった。教室ではいつも小説を読んでいて、誰かに話しかけられると気さくな笑顔で返事をしていた。

今思えば、初めて会った日から、私は晴香のことが好きだったんだと思う。磁力でもあるのかと疑うほど、気づけば晴香に視線が吸い寄せられていた。

みんなといる時の晴香よりも、読書をしている彼女のほうが私は好きだった。陶器のような白い肌、小説の世界に没頭している時の目の動き、台詞をつぶやく美しい唇を、こっそり見つめていた。

ある日の放課後のこと。部活のある渚と委員会で忙しい紗帆を待つため、教室で期末テストの勉強をしていた時に、ふらりと晴香が教室に戻ってきたのだ。

ほとんどしゃべったことがなかったので緊張したことを覚えている。晴香は窓辺に立ち、梅雨に泣く空をしばらく眺めていたけれど、急に聞こえるほどの大きなため息をついた。

自分でも驚いたのか、「ごめん」とささやくように言った。

「なにか……あったの？」

勇気をふり絞って尋ねると、彼女は私の席の前に鳥が地に降り立つように座った。

「母親とおばあちゃんの仲が悪くてさ、家に帰りたくないんだよね」

いじけたように唇を尖らせる晴香に、胸が大きな音を立てた。自分の鼓動が聞こえちゃうんじゃないかと心配になる。

「そうなんだ……大変だね」

なんて答えていいのかわからず、しどろもどろに答えた。

「表立ってケンカをしているんじゃなくて、冷戦状態なんだ。茶畑のことでピリピリしてて、嫌になるよ」

「茶畑？」

「うち、お茶農家をしてるの。めっちゃ広い土地なんだけど、うちの茶葉って傾斜地で育てているから母親の腰痛がひどくってさ。それなのに無理やり働かされててかわいそうなんだよ」

母親側についているのだろう、珍しく興奮して話している。

「お父さんはなんて言ってるの？」

「ああ」と、晴香はまたため息をついた。

「あの人はダメ。気が弱くてなんにも言えないの。今年のお茶の収穫は終わったけど、来年からは私も手伝え、って言うんだよ。私にだってやりたいこと、たくさんあるのにさ」

掛川市の特産品といえば、お茶だ。煎茶よりも蒸し時間を長くして作った『深蒸し茶』は、甘くてコクがあると言われているけれど、私はそれしか飲んだことがないので違いがわからない。

「卒業したらお茶農家の一員になるんだよ。でも、私、お茶が嫌いでまったく飲めないんだ。こんな悲惨な未来から脱出できるロケットがあれば、すぐにでも乗り込みたい」

ツンとあごを上げているけれど、瞳に悲しみが揺れているように見えた。なにか言ってあげたい。晴香を元気にしたい。心の底から誰かのためになにかしたいと思ったのは初めてのことだった。

「あのね」と勝手に口が開いていた。

「うちも両親が今にも離婚しそうなの。家に帰りたくない気持ち、すごくわかるよ」

「そうなんだ。……なんだか似てるね」

晴香がさみしくほほ笑んだ。糸のように細い髪が揺れ、フローラルのかおりが鼻腔に届く。

親に悩んでいるという共通点が、私と晴香の距離を近づけた。渚と紗帆も合流し、その日は遅くまで四人で話をした。

窓の外でする雨音さえも、晴香に似合っていたことを覚えている。

渚や紗帆はクラスのみんなに倣い、晴香のことを『ハル』と呼ぶようになったけれど、私は彼女の名前が好きだったので、あだ名では呼ばなかった。

家にいたくない私と晴香は、夏休みに短期バイトに挑戦したり、あの書店を避難場所にして勉強したりして過ごした。晴香の趣味は小説を読むことで、いろんな作品をまるで見てきたかのように語ってくれた。

いつしか私も小説を読むことに没頭し、語る相手がいなくなった今でも続いている。

今になって思えば……ううん、あの頃も感じていた。私は晴香のことを本気で好きだった。いつも一緒にいたいと思ったし、彼女のようになりたいと憧れた。四人でいても、ふたりでいても、ひとりの夜も、いつもいつも晴香のことばかり考えていた。

　だから、まさか四人で出かけた初めての旅で、晴香が亡くなるなんて想像もしていなかった。

　あの日から私は、晴香の名前を口にしなくなった。彼女のいない世界は真っ暗で、まるで死の世界をひとりぼっちで生きているような気がしている。


　大学の駐輪場は、ゼミの教室からずいぶん離れている。キャンパスを横断するだけで焦げてしまいそうなほど、夏の太陽は強烈な光で攻撃してくる。

　すでに夏休みに入っている校内は閑散としていて、掲示板の前に数人の生徒がいるだけ。卒業論文が遅れているので、あと一週間くらいは通わなくてはならない。

　進学したい大学が掛川市になかったため、隣の菊川(きくがわ)市にあるこの大学を受験した。バイク通学は持ったよりも厳しく、夏は汗だくになるし冬は北風に負けそうになる。

それもあと半年ちょっとで終わる。

「葉月さん」

その声はちゃんと聞こえていた。が、聞こえないフリで足を速める。

駐輪場に入ると屋根のおかげで温度が下がった気がした。

「おーい、葉月鳴海さん」

大きな声にあきらめてふり向くと、宮崎くんがうれしそうに近づいてくる。名前はたしか宮崎邦俊。大きな体に短い茶髪で、いつも口の端に笑みを浮かべているイメージの人。ゼミが同じということ以外、私との接点はない。

それなのに、どうして声をかけてくるの？

「なに？」

不機嫌をふた文字で表す私に、宮崎くんはグーの形にした右手を差し出してきた。

「忘れ物を届けに参りました」

広げた手の中に、私のＵＳＢメモリがあった。パソコンに差したままで忘れてきたらしい。

「あ、ごめん」

慌てて受け取ろうとするが、直前でサッと避けられてしまう。

「学食行かない？　ほら、今日って暑いからさ」

「……行かない」

「めっちゃ塩対応。傷つくなぁ」

　こういう男性は昔から苦手だ。教授にだって冗談を言える宮崎くんは、いつの間にかゼミでリーダー的存在になっている。

「春にあった飲み会にも不参加だったよね？　俺、鳴海さんと仲良くなりたいんだけどな」

　二回に一回は名前で呼んでくるのも苦手。

「……返して」

　手のひらを広げて催促する。一軍の彼とは決して仲良くなんてなれないし、なりたくない。

　晴香がいたらな……。

　本当の私を理解してくれる人は、彼女以外いなかった。

　なんであの日、紅葉電車ツアーに参加したのだろう。言い出したのは晴香。渚も紗帆もすぐに同意したし、私もそうだ。誰もあんな事故が起きるなんて想像すらしていなかった。

もしもあの日に戻れるなら、なんだってやるのに……。

「大丈夫？」

宮崎くんの声にハッと我に返った。いつの間にか手のひらにＵＳＢメモリが置かれていた。

「これから掛川まで戻るんだよね？」

「あ、うん」

ポケットにＵＳＢメモリをしまった。じんわりと額に汗が浮かんでいるのがわかる。

「俺も掛川。でも、バイク通学は大変じゃない？」

「…………」

「俺のこと、そんなに嫌い？」

はあ、とため息をつく。普段ならあいまいにごまかして逃げるのに、モヤモヤした気持ちがお腹の中で膨らんでいく。

「私に構わないで」

「なんで？　せっかく同じゼミなのに、鳴海さん誰ともしゃべんないでしょ。これでも心配してんだよ」

「心配なんてしてほしくない」

　きついことを言ったのに、宮崎くんはまだ余裕の笑みを浮かべている。それが私の気持ちを余計にイライラさせる。

「宮崎くんみたいな人にはわからないと思うけど、ひとりでいるのが好きな人もいるんだよ。自分の価値観を押しつけないで。あと、名前で呼ばないで」

　バイクにまたがってエンジンをかけた。ヘルメットを被れば外野の声は聞こえなくなる。

　宮崎くんの顔を見ることなく、そのまま車道へ出た。

　私を心配してくれる人はこれまでにもいた。みんな表層的な慰めの言葉を多用し、善意の押し売りをしてきた。応えられない罪悪感をずっと引きずることも知らないで。

　太陽のそばにはいつも日陰ができる。だとしたら私は甘んじて日陰にいよう。太陽の熱に焼かれてしまったら、今度こそ本気で死にたくなるだろうから。


　家に帰ると、玄関に父の靴があった。サービス業の父は土日が仕事の時が多く、今日は休みらしい。

　キッチンに顔を出すと、母は不機嫌モード全開で、八つ当たりするように大きな音を立てて野菜を切っている。

　もうずっと仲が悪いふたり。離婚に踏み切れない原因は、私が就職を蹴り大学進学を目指したことにある。私の収入を当てにして離婚に舵を切りたかった母と、私の学費を用意しなければならない父。

　暗にふたりに責められている気がずっとしている。こんなことなら紗帆と同じように就職すべきだった。

　これもあと半年ちょっとの辛抱だ。ふたりが離婚してもしなくても、この家から出る計画は密かに遂行されている。

　内定をもらった富士市の製紙工場へは家からは通えないので、独身寮へ入る希望は受理されている。企画開発部へ属することが決まっていて、先日見学にも行った。上司もやさしそうな人ばかりだった。

　あと少しでこの家から出られるんだ……。

　ガチャン。まな板が乱暴にシンクに投げ入れられた。父はテレビのボリュームを上げて聞こえないフリをしている。

ケンカに巻き込まれないように二階の部屋に避難した。

机の上には晴香の写真が飾ってある。あの旅行の日、ふたりで自撮りした写真。紅葉をバックに白い歯を見せて笑う晴香に「ただいま」とつぶやく。

デスクトップのパソコンで卒論と向き合っていると、一階から言い争う声が聞こえた。気にしないようにしても騒音ほど敏感に耳に届く。

パソコンを落とし、引き出しからクリアファイルを取り出した。中には切り抜いた新聞が入っている。


【静岡東西線で脱線事故】

23日午後2時40分ごろ、静岡東西線（第二浜松駅前踏切）で浜松行臨時電車（5両編成、乗客約300人）が浜松山（浜松市天竜区三俣町）で起きた土砂崩れにより脱線し、2〜3両目が横転した。静岡県警によるとこの事故で少なくとも12人（男性5人、女性7人）が死亡。80人が病院へ搬送された。横転した車両には乗客30人以上が取り残され、消防隊員が救出作業を行っている。


事故の第一報を伝える新聞には、燃えるような紅葉の中、土砂に埋もれた車両の写真が掲載されている。ほかにも事故の続報を伝える新聞が何部もあり、裁判での和解を伝える小さな記事が載ったものが最後。

見れば苦しくなるのがわかっているのに、たまに痛みを再確認するように眺めてしまう。

あの日、私たち四人はこの場所で死に直面した。

新聞やニュースでは連日報道合戦が行われ、どこで調べたのか、記者と名乗る人にインタビューを打診されたこともあった。

私の世界を変えた出来事は、今もまだ日常を侵食している。

「晴香……」

その名を呼ぶたびに視界が潤んでしまう。親友であり、私が愛したたったひとりの人。運命は彼女を奪い去り、私は真っ暗闇に取り残された。

この悲しみは誰にもわかってもらえない。これから先も、死ぬ日まで抱えていくしかないこと。

だったら早く死んで晴香に会いたい。できないのは、自分で死を選んだら晴香が悲しむだろう、という使い古された言葉のせい。

死んでいるように生きている私は、やっぱりゾンビだ。ゲームとキッチンカー探して忙しい渚や、昇進に励む紗帆には理解できないこと。

壁に掛けてあるカレンダーを見る。毎年八月十五日は晴香の墓参りに三人で行っている。晴香が死んだことを認めるイベントなんてしたくない。去年もその前も、直前でキャンセルしたのに、無理やり渚の車に押し込まれたっけ……。

玄関のドアが勢いよく閉まる音が聞こえた。いつものように父が耐え切れずに出て行ったのだろう。車のエンジン音が父の怒りを表現している。

決まってこのあと、母が私の部屋にやってきて父への文句を並べ立てるのだ。

その前に出かけよう。そっと家から滑り出た。自分の家なのに自分の家じゃないみたい。家族なのに家族じゃない。

「ああ、死にたい」

バイクで夕暮れ迫る町へと走り出す。ぬるい風に体を舐められているようで気持ちが悪かった。

そうだ。タカさんに会いに行こう。まだこの時間なら書店も開いているはず。

晴香が亡くなってから、彼女の名前を出すことは避けてきたし、タカさんも最初こそ口にしていたけれど、私の気持ちを察してか言わなくなった。久しぶりに思い出話をするのもいいかもしれない。

書店の駐車場が視界に入るのと同時に、キッチンカーの車体も目に入った。白黒の車体が夕焼けに照らされ、オレンジ色に輝いて見えた。

そういえば前にヘンなことを言われた。名前を教えるな、とかなんとか……。

エンジンを切り、手押しでそっと駐車場に入る。気づかれないように停車させて、急いで書店へ――。

「こんばんは」

ビクッと体が飛び上がってしまった。ふり向くと茶色いエプロンと帽子をつけた若い女性が立っている。

「あ、こんばんは……」

「駐車場を使わせてもらっています。停めにくくてごめんなさい」

「いえ、大丈夫です」

キッチンカーのスタッフだとようやく理解した。

「しばらくはここで出店させてもらっているので、お友だちと食べに来てもらえるとうれしいです」

「和食のキッチンカーなんですよね？」

勇気をふり絞ったのは、キッチンカーが好きな友のため。少しでも情報収集をして教えてあげようと思ったから。

女性は「はい」とうなずくと、夕闇に消えていきそうな車体を見やった。

「メニューは多くなくて、テイクアウトもしていないんです。今どき珍しいでしょう？」

クスクス笑う彼女から視線を下げた。幸せそうな人を見るといつも苦しくなってしまう。

渚や紗帆だって同じかもしれない。みんなはとっくに自分の人生に戻っていて、私はひとり取り残された気分で……。ううん、自分で選んだから仕方ないことだ。

「埜乃」

低い声にハッと顔を上げると、女性のうしろにあの店主が立っていた。半袖の襟付きの白衣に、同じ色の和帽子を手で持っている。

「開店時間を過ぎてるぞ」

「あ、はい。じゃあまた」

埜乃と呼ばれた女性が店に戻っていく。店主は私を一瞥（いちべつ）すると、「ん」と首をかしげ、そのまま一歩近づいてきた。

「君は、ひょっとして……」

先週会ったことを言われるのだろう、同じ幅で一歩下がりつつうなずく。

が、店主が言ったのは予想外の言葉だった。

「紅葉電車に乗っていた子？」

「え……」

「五年前、いやもうすぐ六年になるか。浜松で土砂崩れに巻き込まれた電車に乗っていなかったか？」

これは……夢なの？　店主の言葉に意志とは関係なくうなずいていた。あっという間に涙があふれ頬を伝った。

「そうです。友だち四人で乗っていました」

「こないだは気づかなかったけど、目に面影がある」

先週会ったことを覚えていてくれたんだ。でも、あの事故の時に彼を見たという記憶は……ない。

事故のあと、気を失った私は病院のベッドの上で目覚めた。遺族会には家族しか参加できなかったし、晴香が亡くなったことが信じられなくて誰にも会わずに冬まで寝込んだ。

店主はキッチンカーを確認してから私に視線を戻した。

「俺は神代悠翔。君の名前は？」

「でも、前は名前を言わないで、って……」

しびれる頭で尋ねると、悠翔さんは「ああ」と片手で自分のあごをつかんだ。

「状況が変わった。泣いているということは大丈夫ということだろう」

あいかわらず意味がわからないことを言ってくる。

「葉月……鳴海、です」

「葉月鳴海」

復唱したあと、悠翔さんはなぜかホッとしたような表情になった。それもつかの間、今度は占いでもするようにまっすぐに私を見つめてくる。

沈黙を割るような風が通り過ぎた。悠翔さんがスッと口を開くのが見えた。

「友だちのひとりが亡くなったね」

「え……」

ガクンと膝から崩れそうなほどの衝撃に襲われる。まさか晴香の話題が出るなんて想像もしていなかった。

「後藤晴香です。彼女だけが亡くなったんです」

驚きとうれしさで声が震えてしまう。

「そうか。残念だったな」

うなずく前に、涙が頬にこぼれた。

「どうして私を知っているのですか？　晴香と同じ車両に乗っていたんですか？　渚や紗帆の知り合いなんですか？」

なぜあの事故が起きた時、晴香と離れてしまったのだろう。なぜ同じ車両にいなかったのだろう。一緒に死んでいたなら、こんなに苦しい思いをしなくて済んだはずなのに。

「いや」と、悠翔さんは首を軽くふった。

「俺は違う車両だったし、君の友だちが誰なのかも知らない。ただ、病院で三人で泣いていたのを覚えているだけだ」

病院……。駆けつけた渚と紗帆は泣きじゃくりながら私を抱きしめた。

——ハルが亡くなったの。

——ハルが土砂に巻き込まれて亡くなったんだよ。

耳を塞ぎ、叫んだ。でも、泣いてもわめいても晴香は戻ってこなかった。

悠翔さんはあの病院にいた。大切な友だちを亡くした私を見ていたんだ……。

「悠翔さんも誰かを亡くされたのですか？」

そう尋ねると、悠翔さんは肯定とも否定とも取れるようにあごを動かした。無意識にだろう、腰からぶら下がったキーホルダーを触るのを見て、きっとそうなんだと思った。

「晴香が亡くなってから何年も経つのに、まだ信じられないんです」

こぼれる涙と一緒に、抱えていた気持ちがあふれている。きっと悠翔さんは私の悲しみを理解してくれる。そんな期待は次の言葉で裏切られる。

「運命は変えられない」

突き放すような言い方に、視線を足元に落とした。

「わかっています。でも、悲しくてたまらない」

「運命は君の友だちに死を与えた。冷たいようだが、受け入れることが必要だ」

違う。私はただ覚えていたいだけ。晴香がいない人生がどんなにつらいか、誰にもわからないしわかってもらいたいとも思わない。

「私にはもうなにもない。死にたいのに死ねなくて、だけどみんなはとっくに自分の人生を生きていて……」

「それが君――葉月さんの運命ということだ」

本当にそうだろうか？　反抗心のようなものが沸々と湧いてくるのを感じる。

「運命を受け入れるしかないということですか？　死ねって言われたら死ぬしかないんですか。そもそも死ぬ、っていったいどういうことなんですか？」

わけのわからない質問だってわかってる。

私はただ、晴香に会いたい。もう一度会って彼女のやわらかいほほ笑みを感じたい。触れたい。抱きしめたい。

仕事帰りと思われるスーツ姿のふたりが駐車場に入ってきた。何度か来店しているのだろう、埜乃さんに気さくに話しかけながら椅子につくのが見えた。

鼻から静かに息を吐くと、悠翔さんは和帽子を頭につけた。

「死ぬということは、心臓が止まること。それだけだ」

「心臓が止まること……」

ああ、また晴香のやわらかい笑みが頭に浮かぶ。私の髪についた桜の花びらを指でつまんでくれた笑顔。線香花火になかなか火がつかなくて焦っている横顔。ひとつの記憶も忘れたくないのに、年月とともに薄れていくのが悲しい。

「私も早く死にたいんです。晴香のいる世界に行きたい……」

手の甲で涙を拭う私に悠翔さんは「無理だ」と腕を組んだ。

「運命はまだ君に生きろ、と言っている。それよりもこの先、君の――」

そう言いかけたあと、悠翔さんは首を数回横に振った。

「失礼。余計なことを言った」

意味がわからずに洟を啜る私に、悠翔さんは小さく息をついた。

「どのみち生きていくしかないのなら、どう生きるかを考えたほうがいい」

そう言うとさっさとキッチンカーに戻って行ってしまう。

なによそれ……。やっとわかってもらえる人が現れたと思ったのに、あんまりだ。

涙を拭い書店に向かった。

タカさんは私の顔を見てギョッとした顔で駆けてきた。

「え、どうかした？　なんで泣いてるの？」

「キッチンカーの人に泣かされた。あの人、いったいなんなのよ」

窓越しに見えるオレンジの光。サラリーマンふたりが楽しげに笑っている。

タカさんは「ああ」と腕を組んだ。

「悠翔さんのことだね。あの人、口が悪いからなあ」

「知り合いなの？」

「伊豆にいた頃に何度か会ったくらいだよ。僕よりもおやじが世話になっててね。

今回も親からの命令で駐車場を貸すことになったんだ。嫌な思いさせて悪かったね」


神妙な顔で謝るタカさんに、「別に」と新刊コーナーに並ぶ本を手に取る。

「タカさんが悪いわけじゃないし」

「お盆前には移動するみたいだから、それまで勘弁してやってよ」

なんであんな人をかばうのか意味不明。もし死ぬことを選んでも、悠翔さんは言うのだろう。

『それが君の運命だった』と。

後づけでならなんとでも言える。大切な晴香との記憶に『現実』を突きつけてくる人たちから逃げたい。

こんな心臓、止まってしまえ。今すぐに。


「君が好きなんだ」

挨拶でもするように、宮崎くんは言った。

いつもの駐輪場で雨宿りをしている時、ふらっと現れたと思ったら突然こんなことを言ったのだ。

雷が空にフラッシュを走らせる。遅れて雷鳴がとどろいた。

「え……」

「葉月さんにその気がないことくらいわかってるよ」

あきらめたような笑顔は、鏡の中の私によく似ている。

駐車場の屋根を伝い滝のように落ちる雨水、向こうでは一層激しさを増した雨が降っている。

「夏休みに入ったら会えなくなるから、気持ちだけ伝えておきたかった」

「……うん」

早くこの場をやり過ごそう。結んだ髪をほどき、ヘルメットを手にした。すぐに被ればいいのに、体が動いてくれない。

答えを伝えないままだと、夏休みの間、お互いに落ち着かない気持ちになるだろう。意を決して宮崎くんへ体ごと向ける。

「ごめんね」

「うん」と、宮崎くんは笑う。彼の顔をまともに見たのは初めてのような気がした。

少しの沈黙のあと、宮崎くんが迷うように口を開いた。

「実はさ、入学した頃から葉月さんのこと知ってたんだ。同じ学科ならよかったのに、ってずっと思ってた」

「そんなに前から？　え、なんで私のこと知ってるの？」

駐車場内が一瞬だけ明るく光り、爆発のような雷鳴が続く。雷がどんどん近づいてきている。

「入学式の時に知り合った友だちが、葉月さんと同じ高校に通ってたんだって。クラスは違ったみたいだけど、あの事故のことはすごく騒がれてたから。大学の入学式で君を見かけたって教えてくれて……ごめん」

「そう……」

あの事故は世間を大きくにぎわせた。久しぶりに登校した時は、ほかのクラスの生徒が休み時間に声をかけてきたり、動物園にでも来たかのように廊下から私たちを観察していた。

宮崎くんの友だちもそのひとりだったのだろう。入学式で私に気づいた友だちが、『あの子、紅葉電車の事故の生き残りだよ』とでも教えたのだろう。

「話題になったから、とか、同情とかじゃない。ただ、少しでも葉月さんを笑顔にしたいって——それだけだった」

もう一度「ごめん」と宮崎くんは謝ってくれた。

「いいよ。でも、私……ずっと好きな人がいるの」

会いたくなるから、晴香の話題を口にしてこなかった。そうすれば少しは気持ちが収まると思ってきたけれど、まるで逆だ。いなくなってからのほうが、前よりも晴香の存在が大きく感じている。

「片想いってこと？」

「そう。あと……事故のことを人には言わないで」

「誰にも言ってないし、これからも言わない。ただ、期待はまだ消さないでほしい」

そんなことを言うから、思わず肩の力が抜けてしまった。

「今、好きな人がいるって言ったつもりなんだけど……。それに私、就職したら掛川から離れるの」

「人生はなにが起きるかわからないって信じてるんだ。何年後かの再会を夢見ることくらいさせてよ」

おかしな人だ。私には一生かかっても持つことのないポジティブさがうらやましいと思った。嫌味でなく、本気で。

「これからはあまり声をかけないようにするよ。だからお願いします。ゼミのグループLINEでもいいし個別でもいいから、なにかあったらメッセージください」

律儀に頭を下げたかと思うと、宮崎くんは雨の中に飛びだしていった。その姿はすぐに雨に消されてしまう。

あんなふうに晴香に想いを伝えていたなら、こんなに苦しくなかったのだろうか。

雨が私を責めるように激しさを増している。

梅雨明け宣言がされないまま、八月になった。

小説を読み終わると、心の中で晴香に感想を伝える。晴香ならこう言うだろうな、と考える時間が好き。晴香と会話しているような気分になれるから。

ベッドに寝ころんだままスマホで天気を調べると、雨と曇りのマークが交互に表示されている。朝から降り続いている雨も夜半過ぎには上がり、明日のお墓参りは曇の天気となるそうだ。

宣言どおり、夏休みに入ってから宮崎くんからの連絡はないまま。ゼミのグループLINEで交わされている他愛もないトークに、私たちは参加していない。

自分から断っておいて、見放されたような感覚になるのはおかしいこと。わかっていても、前よりもモヤモヤした気持ちになるのはなぜだろう。

「鳴海！」

階段を踏みしめる音が近づいてきたかと思うと、母が勢いよくドアを開けた。

「もう耐えられない。お母さんたち、離婚するから！」

鼻息荒く叫ぶ姿を、これまで何度も見てきた。なんでいつも怒っているのだろう？

「あんたが卒業したらふたりでアパートを借りるからね。慰謝料をふんだくってやるんだから」

ベッドから起き上がり、リュックを手にする。

「慰謝料ってなんの慰謝料？　お父さん、浮気でもしたの？」

そう尋ねると母は「は？」と眉をひそめた。

「あの気弱な人にそんなことできるわけないでしょう。長年私たちを苦しめた罰として慰謝料を払ってもらうのよ」

そんな名目で慰謝料をもらえないことは私でも知っている。気づいていないのだろうか、私を苦しめたのはあなたも一緒だということに。

家族の形がいびつにゆがんでいる。同じ苦しみを味わっていた晴香を思い出す。

晴香の家は今頃どうなっているのだろうか。お葬式以降はお墓参りにしか行っていないから、晴香が話していたおばあさんと母親がどうなったのかは知らない。

「とにかく就職先は市内にして。パートに通えなくなるのは困るから」

目の前で顔を真っ赤にして怒っている母に、「あのさ」と口を開いた。

「言ってなかったけど、内定をもらえたんだよ」

「いつ？　どこの会社？　お母さん聞いてないけど」

「富士市の会社。独身寮に入るつもりだから、悪いけど一緒には暮らせない」

しばらくぽかんと口を開けていた母の顔が、サッと青くなった。

「嘘。あんた……お母さんを裏切るの？」

「裏切るとか裏切らないとか、そんなの関係ないでしょ。仕送りはするつもりだけど、初任給が低いから期待しないで。離婚するならお母さんも正社員の仕事を探したほうがいいよ」

「なによそれ。エラそうに言わないで！」

赤くなったり青くなったり忙しい人だ。

「この家にいたくない、と思わせたのはお母さんたちじゃない。ちゃんと家族と向き合ってほしかったよ」

紅葉電車の事故が起きたあと、友だちを失った私の前でもふたりはケンカばかりだった。あの時にぜんぶあきらめたんだ。

「待ちなさい！」

母の声を無視して外に出た。バイクにまたがると入道雲がにょきにょきと空に生えていた。

晴香の家に行ってみよう。そう思ったのは自然な流れだった。


突然訪問した私を、おばさんは笑顔で迎えてくれた。

最後に会った時より疲れた顔で、髪には白いものが混じっている。

「三番茶の収穫が終わったところなのよ。ちなみにこれは一番茶」

湯呑の中で深緑色のお茶が湯気を立てている。

「梅雨明けがないまま夏になったから、水不足の心配もないし、今年はいい年だったわ。秋になったら土壌に石灰を撒くから大変になるけどね」

「はい」

お茶を飲むと、深い味わいが口の中に広がった。家で飲むのと全然違う。

「鳴海ちゃん、大きくなったわね。来年で大学も卒業よね？」

「ずっと来られずにすみません」

この家にもよく遊びに来ていた。傾斜面の途中にある一軒家で、周りは茶畑しかないような場所。晴香のにおいがまだ残っているような気がして、涙で視界がゆがんでしまいそう。

「あれからもう六年が経つなんて早いわね」

「ええ」

うなずいてはみたけれど、まだそれだけしか経っていないようにも思える。晴香がいなくなったあとの人生は余生みたいなもので、私は自分が消えてなくなる日を待ち望んでいる。

テレビの横にある棚に晴香の写真が飾られている。家のそばで撮影したものなのだろう、白い歯を見せて笑う晴香の向こうに緑色の海が広がっている。

今にも写真から笑い声が聞こえそうで、じっと耳を澄ました。

「あの子、昔からやりたいことがたくさんあったの。高校を卒業したら好きなことをする、って宣言して、よくおばあちゃんとケンカしてた」

晴香の横に飾られているおばあさんの写真をおばさんはやさしく眺めている。

「おばあさん、亡くなったんですね」

「もう二年経つのよ。あの子が亡くなってから、ずいぶん落ち込んでしまってね。人が変わったように物静かになってしまったの。家で看取ることができたし、最後は『ありがとう』って言ってくれたのよ」

　涙ぐむおばさんに、私はなにも言えない。

　私が死んだら、うちの親も少しは反省してくれるのだろうか。

「そういえばね、こないだ鳴海ちゃんのことを思い出してたのよ」

「え、私のことを?」

「ここに遊びに来てくれてた頃に、よくふたりで料理をしていたじゃない。創作料理って言うのかしら、たまに私も食べさせてもらったわよね」

「ああ、失敗作ばかりでしたね」

　晴香のお茶嫌いをなくそうと、あれやこれやと茶葉を使った料理にチャレンジした。天ぷらにしたり、ご飯に混ぜたり、アイスにしたり。結局、晴香はほとんどの茶葉料理に不合格の烙印(らくいん)を押した。

「昔からお茶が嫌いだったのよ。きっと跡を継ぎたくない気持ちからきていたのよね」

「私も……早く家を出たいって思ってますし」

「いいんじゃないかしら。鳴海ちゃんの人生なんだから、好きなように生きてほしいな」

おばさんはそう言って晴香の写真に目を向けた。

愛する人をもう二度と取り戻すことはできない。悲しみをわけ合えたことが少しだけうれしかった。

＊　＊　＊

紅葉電車に乗った日は、乗車する前からトラブル続きだった。

朝一で、掛川駅からＪＲ東海道線に乗ったけれど、静岡駅で故障のため一度下ろされた。

なんとか沼津駅に到着し、静岡東西線へ向かったがここでも問題発生。ボックス席を予約したのに、渡されたチケットは二人ずつわかれて座ることになっていた。

しかも四号車と二号車。それぞれの車両が離れている。

怒り狂った渚が窓口で文句を言い、アシスト役の紗帆は冷静に予約画面をスマホで見せたりもしたけれど、解決しないまま出発時刻が迫ったためわかれて乗車した。私と渚が二号車に、晴香と紗帆は四号車に乗車した。山間を通るローカル列車が五両編成で運行するのは今日が初めてのことらしく、アナウンスで何度もそのことがくり返された。

普通は一号車が先頭車両になるものと思っていたけれど、紅葉電車は五号車を先頭に浜松市へ走り出した。

線路沿いに植えられた紅葉は燃えるような色で、赤色のトンネルをくぐって電車は走っていた。静岡駿河（するが）という駅で私たちは席を交代した。今度は私と晴香が二号車で、渚と紗帆が四号車。明日の復路はボックス席なので我慢しよう、とお互いに慰めあった。

電車はスピードを上げて紅葉を切り裂くように走っている。

「ちょっとスピード、早すぎない？」

晴香が不安げに窓の外に目を向けた。

「予定より遅れてるみたい。でも、なんとか乗れてよかったよ」

「天気もいいしね。昨日だったらどしゃ降りでなにも見えなかったかも」

雲間から差す太陽の光が、晴香の横顔を照らしている。紅葉よりも晴香と旅ができたことがうれしくてたまらない。

好きだよ。晴香のことが好きでたまらない。

心の中で告白をしながら、今という時間が永遠に続けばいいと願う。

「先週うちに来た時にさ、お茶料理大会やったじゃん？」

晴香の言葉に、「ああ」と苦い顔を作る。

「ぜんぶダメだったもんね。次回はもっと考えていくよ」

お茶チャーハンは、晴香だけでなくおばさんにも不評だった。お茶と紅ショウガの天ぷらにおばさんは合格を出してくれたけれど、晴香は当たり前のように不合格。

「すごくうれしかったよ。私なんかのために、がんばってくれてるんだもん」

「友だちだから当たり前」

熱い頬がバレないようになんでもない口調で言う。

「私はお茶が苦手だけど、最終的には跡を継ぐしかないのかもって思ってるんだ」

「……うん」

「ひとりっ子は困るよね。最初から選択肢が少ないんだもん」

髪をかきあげ、晴香はさみしそうに言った。

気の利いた言葉が出てくればいいのに、肝心な時ほどなにも出てこない。

「でもね、朗報がひとつあるんだ」

ニッと笑う晴香に、心がキュンと音を立てた。

「山口にいる従弟（いとこ）がね、将来茶畑を継いでもいい、って言ってくれたの」

「へえ、それじゃあ晴香も好きなことができるね」

「気が変わるかもしれないから、期待はしてないけどね」

きっとそうなるよ。晴香には自由が似合っていることを、その従弟だってわかっているはずだし。

ガクンと車体が揺れ、スピードを落とした電車がブレーキ音を最後に停車した。

「お客様にお知らせいたします。信号機により停車指示が出されたため、しばらくの間停車いたします」

アナウンスの声に車内がホッとした空気に包まれた。

「この電車に乗ってる人って、若いのは私たちくらいじゃない？」

耳元で晴香がささやいた。

「あ、うん。でもこの旅行は晴香の提案でしょ？」

「そうなの。たくさんあるやりたいことのひとつなんだ」

「ふうん」

行動派の晴香は、自分のやりたいことをひとつずつかなえていく。それは家から脱出したいためだと思っていたけれど、跡を継ぐつもりなら、それに向けての準備をしているのかもしれない。

いつか晴香は私のもとからいなくなってしまう。ずっと感じていた不安が少し和らいだ。

「で、話は戻るんだけど、こないだ料理をひとつ出し忘れて帰ったでしょ？」

いたずらっぽい目でそう言う晴香に、「あ！」と記憶がよみがえった。

「お茶ゼリーのこと、すっかり忘れてた」

冷蔵庫で冷やしたまま忘れてしまっていた。

「私、あれ好きだったよ。ていうか、毎日食べたいくらい美味しかった」

思い出すようにあごを上げている。晴香がよろこぶなら、いくらでも作るよ。

再び電車が動き出し、紅葉が徐々に風景へと溶けていく。

＊　＊　＊

朝まで降り続いた雨が上がり、午後になると厚い雲の間から太陽が顔を出した。

晴香が眠る川沿いの墓地へ渚の車で向かっているが、エアコンの効きがよくないので夕方近いのに蒸し暑い。

「昨日、晴香の夢を見たよ」

そう言う私に「うお！」と運転席の渚がヘンな声をあげた。

「あたしも見たんだよ。今、そのことを話そうと思ってたのに！」

「え、渚も⁉」

渚はバックミラー越しに目を合わせてうなずいた。

「文化祭の時の夢。四人で体育館に行った時に、急にハルがいなくなったじゃん。その時の夢だった。現実ではたこ焼き屋の前で捕獲できたけど、夢の中では見つからなくて焦りまくった」

そんなこともあったっけ。晴香はたまに私たちの輪から抜けて、ひとりになることを望んでいた。

「わたしも」と紗帆が隣の席で手を上げた。

「ただ四人でしゃべってる夢だった。ハルはいつものように聞いてるだけだったけど、楽しい夢だったよ」

「やっぱりお盆だから戻ってきてるんだね」

渚がぽつりと言った。きっとそうなのだろう。だから、楽しい思い出の場面だけ見せてくれたんだ。

あのあと動き出した電車が……。

——やめよう。

これ以上思い出したら、きっと泣いてしまう。

渚が「でもさ」と右にハンドルを切った。

「鳴海の口から晴香の名前が出るの久しぶりだね」

「あ、うん……。お盆だからたまにはいいかな、って」

昨日の夢はうれしかった。あの旅行を再体験しているみたいで、目覚めた時はそのぶん悲しくなった。

息苦しくなり車の窓を開けると、ぬるい風が前髪を揺らした。

鹿島橋の下に菊川という大きな川が流れている。川沿いにある小さな寺に来るのは一年ぶりだ。普段、晴香の話題は避けてしまうけれど、お盆くらいはいいだろう。きっと、彼女も空の上から聞いてくれているはずだから。

午前中に墓参りを済ませる人が多いのか、それほど駐車場に車は停まっていない。

一年ぶりに門をくぐり、本堂を抜けた先にある墓地へ向かう。

セミの声がいろんな方向から聞こえる。

「ねえ、川がすごいことになってる」

渚に言われて顔を向けると、土手の高さに迫るほどの水が流れている。メガネを中指で押し上げながら紗帆が「ああ」とうなずいた。

「ここは下小笠川と牛淵川が菊川に合流する地点だからね。それに加え、昨日までの大雨で水量が上がってるんだよ」

土手をえぐり取るほどの濁流は、あの日見た土砂崩れを連想させる。

あとずさりする私に気づいたのだろう、

「さ、行こう。ハルが待ってるよ」

わざと明るい声で渚が歩き出した。

「自分から話題をふっておいて、それはないよ。ねえ?」

紗帆の文句にあいまいにうなずいた。

墓地には何人かの家族連れがいた。晴香の墓は、なだらかな坂の上にあって、空がいちばん広く見える場所だ。

うしろ姿の男性が晴香の墓に手を合わせている。親族か誰かだろうか……。

「ちょっとここで待ってようよ」

会ってしまったら晴香の思い出話をすることになる。そしたら私はもっと悲しくなる。

紗帆は足を止めてくれたけれど、なぜか渚は男性に向かって歩いて行ってしまう。

そして、その背中をポンと叩くではないか。

「あ、なんだ」と紗帆がつぶやいた。

「え？」

「あの人、クニさんだよ」

視線を戻すと、渚と話していた男性が私に目を向けた。

彼は——宮崎くんだった。

驚きのあまり足元がぐらつき、紗帆の腕をつかんでいた。

「あ、ごめん……」

息ができない。どうして宮崎くんがここにいるの……？

必死で足を踏ん張る私に、紗帆は言う。

「そっか、鳴海は知らないんだっけ。あの人、ハルと同い年の従弟なんだよ」

「晴香の従弟……？　たしか、山口県に住んでるって——」

「大学でこっちに来たんだって。月命日にたまに顔を合わせることがあったの。名前は、たしか……」

「宮崎邦俊」

「そうそう。……え？　鳴海も会ったことがあるの？」

紗帆を先に行かせ、息を整えた。紗帆に挨拶をした宮崎くんがのんびりとした足取りで近づいてくる。

「やあ、こんにちは」

「なんで……」

やわらかい笑みを砕くようににらみつけた。

「お墓参りに来たんだよ」

「そうじゃなくて、なんで晴香の従弟だって言わなかったの？」

沸きあがる怒りをこらえて尋ねるが、宮崎くんは怒ったように口を結んでしまった。それがまたお腹の中のモヤモヤを大きくする。

「ずっとだましてたなんてひどいよ。ゼミで一緒になったのも偶然じゃなかった。あの告白だって――」

ツンとする鼻の痛みをこらえる。こんなひどい人に泣かされたくない。

「違うよ」

「どう違うの？　こんなのあんまりだよ！」

　渚と紗帆がふり返るのがわかった。ひょっとしたらふたりもグルだったのかもしれない。

　私の様子を観察して、と宮崎くんに依頼した可能性だってある。ひょっとしたらおばさんも知っていたのかもしれない。

「拒否したのは鳴海さんのほうだよ」

　その言葉がざらりと耳に届いた。

「拒否……？」

「大学に入学してすぐに鳴海さんを知ったのは本当のこと。話しかけて、晴香の従弟だと言いたかったけれど、もっと悲しませるような気がして言えなかった。もちろん、教えてくれた友だちにも話していない。だから、ゼミで偶然一緒になった時はうれしかった」

「だったら……」

「事故のことを口にしたとたん、鳴海さんは拒否を示した。俺だって言いたかった。晴香の話を鳴海さんとしてみたかった」

　私は晴香との思い出を守りたかった。亡くなったことを認めたくなかった。

言葉にしたいのに、かすれた声が漏れるだけ。大事なことほどいつも声になってくれない。

「月命日前後の土日、墓参りするようになった。あのふたりもそうだったから、たまに話をすることもあった。拒否するのに必死で、それすらも知らなかっただろ？」

「あ……」

「ふたりには君と同じ大学であることは言ってない。大学名もごまかしている。君から説明しておいて」

手桶とひしゃくを手にし、宮崎くんは背を向けた。右足を踏み出した彼があごだけこっちに向けた。

「それでも、君を好きになったのは本当のことなんだ。苦しませてごめん」

足早に去っていく宮崎くんがぼやけたかと思うと、頰に涙がこぼれていた。その場にしゃがみこんで泣く私を、駆け寄ってきた渚たちが抱きしめた。

なにがなんだかわからない。

宮崎くんは途中から私を『君』呼ばわりしていた。それくらい彼を怒らせたんだと思った。

泣き止んだ頃には、太陽は山の向こうに消えていた。広い空は徐々に藍色になり、一番星が光っている。

駐車場へ戻る足取りは重く、心の中は隣で荒れ狂う川のようにぐちゃぐちゃだ。渚と紗帆は、宮崎くんとの関係を聞きたそうにしていたけれど、私はなにも言いたくなかった。ううん、言えなかった。

押し黙る私を、それ以上ふたりは追及しなかった。

ひどく疲れている。体も心も限界に近い。

砂利を擦るように歩いていると、突然「うわ！」と渚が声を上げた。

「見て。あれ、キッチンカーじゃない？」

駐車場のはしっこに停まっているキッチンカーに見覚えがある。あれは……悠翔さんのキッチンカーだ。

「え、なんでここに……」

「お寺にピッタリなデザインだね」

感心したように紗帆は言う。黒白のデザインの車体はたしかに似合っているけれど、今は早く家に帰りたい。

渚は私の気持ちも知らないでよろこんでいる。

「こんな場所でキッチンカーに会えるなんて！　せっかくだから寄っていこうよ」

つかまれた手を乱暴にふり払った。

なにも食べたくない。話したくない。家に帰って晴香との思い出に浸りたい。

「どうしたの？　あたしがキッチンカー好きなの知ってるでしょ？」

「……勝手だよ」

本音が口からこぼれた。

「渚は勝手すぎるよ。ゲームのせいで遅刻ばっかりだし、キッチンカー巡りにはつき合わせるし。私は帰りたい。今日は晴香の思い出と一緒にいたいの！」

肩に紗帆の手がそっと置かれた。

「つき合ってあげようよ」

「……嫌だ」

誰のことも傷つけたくないからひとりでいたのに。違う、傷つけられたくないからひとりを選んだんだ。

「ハルのこと、もっと話そうよ」

　渚がさみしそうに笑った。

「……話す？」

「あたしたちにしかない思い出がたくさんあるじゃん。鳴海がハルがいないことを受け入れられないのはわかるよ。でも、人間はどんどん忘れていく生き物でしょ？三人でいる時くらい、ハルとの思い出を話そうよ」

「ずっとハルのことを覚えていたい。鳴海だってそうでしょう？」

　紗帆が顔を覗き込んだ瞬間、急に恥ずかしい気持ちになった。さっきまで鳴いていたセミの声はもう聞こえない。

「ごめんね。私……ひどいことを言った」

「気にすんな。遅刻ばっかりなのは事実だし」

　ガハハと笑う渚にうなずいた。

　キッチンカーに目を向けると、オレンジ色の照明がタイミングよくついた。

「こんばんは、お久しぶりです」

　いつの間にいたのか、埜乃さんが近づいてお辞儀をした。前と同じ茶色の制服を着ているけれど、その表情が硬く思えた。

「どうぞお座りください。メニューは店主が決めたものとなります」

「へえ、おもしろいね」

渚がいちばん左の席に座った。その右に紗帆、そして私。私たちが座るのと同時に、悠翔さんが顔を見せた。

紺色の着物に鮮やかな赤色の前掛け、同じ色のたすきを腕に巻いている。茶摘みのイベントで見かける茶娘のような衣装だ。ひょっとして料理に合わせて衣装を変えているのだろうか？

「いらっしゃい。少し待ってて」

出してくれたのは深蒸し茶だとすぐにわかる。茶葉の香りが湯気とともに鼻腔をくすぐる。

前払い制らしく、料金を支払っているとごま油の香りがしてきた。パチパチと油で揚げる音に、自分の空腹を思い出した。

「鳴海はまた痩せたよね」

渚がお茶を飲みながらひとり言のように口にした。

「あんまり食べられなくて……。なんていうか、お腹が空くことに罪悪感を覚える。もう、ずっとそんな感じ」

紗帆がメガネをカウンターの上に置いた。

「生きているからじゃないかな。ハルはもう美味しい物を食べることもができないのに、自分は生きている。それが苦しいんだよ」

「紗帆の言うこと、当たってる。勝手に苦しんでバカみたいだね」

「あたしはさ」と、渚が顔をひょいと覗かせた。

「逆に食べてしまうんだよね。お腹がいっぱいなのに無理やり食べちゃうから、ずいぶん太っちゃった」

悲しそうにほほ笑む渚。

「渚も鳴海も同じくらい悲しいんだよ。わたしの場合、食欲は普通だけど、夜寝るのが怖くてね」

「そうなの？」

紗帆は私の問いにわずかにうなずいた。

「ベッドに入ってから、寝るまでに数時間かかる。だから毎日寝不足で、だけど眠れない。みんな、ハルがいなくなったことで影響を受けているんだよ」

「そうかもしれない。みんな同じくらい悲しいし、苦しいんだね」

不思議だった。お茶に自白効果でもあるかのように、素直な気持ちがぽろぽろとこぼれている。

埜乃さんがトレーを渡してくれた。受け取るとさっきより強いお茶の香りを感じる。茶葉をまぶしたかき揚げには抹茶塩が添えられていて、茹でた大きな落花生、脇にはご飯と味噌汁が添えられている。右上には手元にあるのと同じ湯呑が置かれている。お代わりのお茶かと思ったけれど、違う。これは、ひょっとして……。

「お茶ゼリーだよ」

毎回ぶっきらぼうだった悠翔さんの声がやさしく耳に届いた。

「え……」

「シンプルなデザート。濃いめの深蒸し茶にグラニュー糖とゼラチンを入れて固めた料理で――おい、泣くなよ」

そう言われてはじめて、自分が泣いていることに気づいた。

「え、どうしたの？」

驚く紗帆に首を横にふりながら、スプーンでゼリーをすくった。

お茶嫌いな晴香が『美味しい』と笑った、あのゼリーが、オレンジの照明にキラキラと宝石のように輝いている。

口に運ぶと、甘さとほろ苦さが口で溶ける。

「晴香と最後に食べたのが、お茶ゼリーだったの」

こぼれる涙をそのままに、私は晴香との最後を思い出す。

＊　＊　＊

「お客様にお伝えいたします。現在、浜松市に土砂災害警戒情報が出されました。これより徐行運転となるため、到着の遅れが予想されます」

アナウンスの声に、車内から不満の声が上がった。再度スピードを落とした列車の向こうに、曇天の空が広がっている。

晴香は気にしていないのか、まだお茶ゼリーの話を続けている。

「鳴海が帰ったあと、冷蔵庫に入っているお茶ゼリーを食べてみたの。それが本当に美味しかった。いつもは苦手なお茶が、甘くて口の中ですると溶けて最高だったよ」

「待ってよ。ほかの料理のほうが百倍時間がかかってるんですけど？　お茶ゼリーなんて砂糖とゼラチンを混ぜただけじゃん」

簡単すぎて作ったのも忘れていたくらいなのに。

「でもすごく好きな味なんだよ。実はあれから何回も作ってるの」

そう言って旅行カバンの中から銀色の保冷バッグを取り出した。

「今日もみんなに食べてほしくて作ってきたんだよ。移動中に食べられるように、進化させたの」

小さなジュースのペットボトルを渡してくる。中には深緑色のお茶が入っている。飲んでみると、深蒸し茶と一緒に砕いたお茶ゼリーが口の中に入ってきたから驚いた。

「お茶の中にお茶ゼリーを？　へえ、すごく合ってる」

「でしょう？」自慢げに言ったあと、晴香も自分のぶんを飲みニッコリ笑った。

「お茶のほろ苦さと甘いお茶ゼリーがマッチしてるよね」

まるで料理のレポートでもしているみたいで笑ってしまう。ああ、晴香といられて幸せだ。今日この時を、私は一生忘れないだろう。

まぶしすぎる笑顔から目を逸らせずにいると、晴香がスマホを構えた。

「お茶ゼリーの記念に自撮りしよう。はい、チーズ」

何枚か撮影した写真は、紅葉を背にした私と晴香がかわいく写っていた。

「写真送ってね」

「じゃあ送ってる間に、渚と紗帆に渡してきてくれる？」

保冷バッグからペットボトルを二本渡してきたので、席を立った。

「ふたりの自信作だって言ってくるよ」

「特許出願中ってのも加えておいて」

ニッと笑う晴香の向こうに、ゆっくりと紅葉が流れている。今すぐにでも「好きだ」と伝えてしまいそう。それくらい熱い気持ちがあふれてくる。

でも……きっと私はなにも言えないんだろうな。晴香のそばにいられるためにも、自分の気持ちは押し殺さなくちゃいけない。出会ってからまだ半年ちょっとしか経ってないのに、こんなに心を奪われるなんて思っていなかった。

苦しくないよ。むしろ、晴香に生きていく希望をもらい続けている。

ペットボトルを手に隣の車両へ。三号車も混んでいて、どうやら満席の様子。奥にあるトイレも何人かが列を作っていた。

向こうからカメラを手にしたおじいさんと若い男性が歩いてきたので端っこに寄りやり過ごしてから四号車に続くドアを引いて中へ。

あ、いたいた。四号車のうしろのほうに渚と紗帆が座っている。よほどおもしろいのか、大笑いしているのですぐにわかった。

歩き出すと同時に、ペットボトルがひとつ床に落ちてしまった。

コロコロと転がったペットボトルを、初老の夫婦の奥さんのほうが拾ってくれた。

「すみません」

お礼を言ってペットボトルを受け取る。

「ご旅行？」

上品な奥さんに尋ねられ「はい」とうなずいた。

「友だち四人で旅行に来ています」

「そう、いいわね。私たちも家族四人で来てるのよ。あんなに晴れていたのに、山の天気はわからないものね」

うなずこうとした時だった。

――なにか聞こえる。

地響きのような音が迫って来る。足元が激しく揺れた。ペットボトルが再び手から離れ、床に落ちていくのがスローモーションで見えた。

地震……!?

転がるペットボトルに手を伸ばそうとした時、隣の車両から爆発するような音が響いた。ふり返る間もなく、すごい勢いで体がドアに叩きつけられていた。

息ができない。いたるところで上がる悲鳴よりも、金属同士がぶつかるような嫌な音が耳にうるさい。

急停車した電車から、やがて音が消えた。

「え……」

見ると、隣の車両が斜めに傾いていて、上半分が茶色い泥で埋まっている。誰かが「土砂崩れだ！」と叫んだ。

土砂崩れ……。床に手をついて立ち上がり、連結部分へ向かうと隣の車両の人の背中が見えた。誰もが窓の外に顔を向けている。つられて見ると、線路脇になにかある。

あれは……なに？　割れた窓ガラスの破片がようやく顔を出した太陽に光っている。その横にはひしゃげた形の鉄の塊が横たわっていた。

「晴香……」

好きな人の名前を口にする時、私はいつも幸せを感じていた。

これからもずっとそうでいたい。彼女と一緒に笑っていたい。

薄れていく意識の中、見えない神様に願った。

＊　＊　＊

悠翔さんが出してくれた料理はどれも美味しかった。

エビのすり身と茶葉のかき揚げは、抹茶塩との相性がよく、揚げ物とは思えないほど軽い。大きな茹で落花生は殻がフタ代わりになっていて、開けると大粒の落花生の下にネギ味噌がかかっていた。

料理を食べながら、事故の日のことを話した。

言葉に詰まったり、涙で声も震えてしまったけれど、ふたりは辛抱強く話し終えるのを待ってくれた。

「目が覚めたらベッドの上だった。悪い夢を見たと思った。そう信じたかった」

だけど現実は容赦なく私に告げた。晴香がこの世にもういないことを。

あの事故は不運が重なって起きた、と新聞に載っていた。浜松山の土砂崩れはこれまで一度も起きたことがなかった。電車が速度を落としたのは、その先にある二俣山の土砂崩れを警戒してのこと。紅葉を見学するため、薄手の全面ガラスになっていたこと。窓が開けられていたこと——。

晴香を含め、十二名もの命を奪った事故。あれからもうすぐ六年が過ぎるのに、いまだに受け入れることができない。

「晴香のことが好きだった。本気で晴香と一生一緒にいたいって思っていた。だから、もう私にはなにもない。ずっと死にたいって思ってる」

想いを口にすることなんて一生ないと思っていた。どうして素直に話せたのか、自分でもわからない。

「あの……」

埜乃さんが真っ青な顔で口を開いたが、すぐに「いえ」とうつむいてしまう。

そう言えば……悠翔さんもあの事故のあと病院にいたと言っていたはず。

「悠翔さんもあの事故に遭われたんですよね」

私の発言に渚が悲鳴を上げた。

「え、嘘でしょう?」

「ふたりは知り合いってこと?」

紗帆がメガネを装着して尋ねたので、首を横にふった。

「前に会った時に話してくれたの」

悠翔さんは不機嫌そうに鼻を鳴らした。

「俺のことはいいんだよ。今しなくてはならないことは、思い残しがないようにしっかり三人で話をすることだ」

思い残し、って……。まるで私が死ぬことを予言しているみたい。前も『運命は変えられない』とか言っていた。

失礼な言葉なのに、裏表のない性格だと肯定的に受け入れられる。

ぐす、という音のするほうへ顔を向けると、渚が大粒の涙をこぼしていた。自分でもびっくりしているのか、ペタペタと頰を触っている。

「あれ、あたし泣いてる？　すごい、もう何年間も泣けなかったのに」

「そんなこと言ってたね」

紗帆がハンカチを差し出しているけれど、泣けないだなんて聞いたことがなかった。ううん、聞こうとしなかっただけかもしれない。

「どうしよう、止まらないよ」

渚の涙はダムが決壊したように流れ続けている。

ひとしきり泣いたあと、悠翔さんが新しいお茶を淹れてくれた。

「あのね、あたし……」

両手で湯吞を抱く渚が、いつもより小さく見える。

「今でも秋が来るたびに怖くなる。紅葉を見るたびにゾッとしちゃって、目を塞ぎたくなる。紗帆だって病院が怖くなったし、鳴海は電車に乗れなくなったよね」

「そうだね。わたしは病院のにおいで倒れそうになる。きっと、あの日を思い出してしまうから」

あきらめたような口調で紗帆が言った。

「私も……そう。電車に乗れなくなっただけじゃない。あんなに好きだった晴香のことを話すことができないの」

「みんなトラウマを抱えて生きてるんだよ」

渚がそう言い、お茶をグイと飲んでから「だけど」と力を込めて言った。

「あたしのために鳴海は生きてほしい」

思わぬ発言に動揺してしまいなにも返せずにいると、渚は頬の肉をもりっと持ち上げた。

「あたしは鳴海のために生きていくからさ」

「なにそれ……」

うつむく私の肩を紗帆が抱いた。

「わたしも鳴海のために生きる。だから約束して、鳴海も生きるって。ハルだって同じ気持ちだよ」

　普段なら反論していたと思う。

　――もう晴香はいないんだよ。

　――こんな世界で生きていたくないよ。

　なのに、さっき食べた料理がお腹の中に温度を灯(とも)している。私に『生きろ』と告げている。

「もう死にたいなんて言わないよ。たぶん、だけど」

　そう言った私に、ふたりはうれしそうにほほ笑んでくれた。


「気をつけてお帰りください」

　ずっと黙り込んでいた埜乃さんがそう言って見送ってくれた。

　不思議と気持ちがすっきりしている。気持ちに呼応するように、空には星が光っていた。

「お茶ゼリー、懐かしかったね」

　紗帆がそう言った。

「いやあ、ハルの作ったやつのほうが美味しかったよ。お茶の中にゼリーを入れるなんて、なかなかの発想じゃない？」

渚はさっきから車のカギを指先でクルクル回している。

「わかる。でも、あれは私と晴香の合作なんだからね」

晴香の名前を口にして笑える日が来るなんて思わなかったよ。駐車場の奥は暗く、月明かりがほのかに私たちを照らしている。

「生きていくよ」

そう言う私に、ふたりは顔を見合わせた。

「晴香がやり残したことを受け継いで生きていく。まだまだ晴香が読みたい小説があるはずだし」

もう死ぬなんて言うのは止めよう。悠翔さんの言うように運命は変えられない。晴香の死を受け入れてこれからも生きていく。それが私の結論だ。

「よかったー。あたしも紗帆もずっと心配――あっ！」

渚の指先からカギが飛んで行った。

「やっちゃった。えー、どこだろう」

闇の中に渚が消えてすぐ、バシャンと水の跳ねる音が聞こえた。スッと体から血の気が引くのを感じた。

そういえば、すぐそばに川が流れていて……。

「渚！」

走り出すと同時に、

「危ない！」

紗帆が私の腕を引っ張った。足元のすぐそばに濁流が口を開けていた。

「え、嘘……」

川に落ちたの？

「渚、渚！」

叫んでも渚は答えてくれない。紗帆がスマホのライトをつけて照らすが、黒い川が流れているだけ。

足元から崩れ落ちそうになる。この感覚は——晴香の時にも感じたこと。

だけど……私はもうあきらめたくない。ライトで照らしながらあたりを探す。紗帆も必死で渚の名前を呼び続けている。

「あ、見て！」

紗帆が叫ぶと同時に走り出した。スマホのライトが川の先を照らしている。揺れるライトの中に渚の背中が見えた。川の端に生えているつる草に引っかかっている。

「渚、渚!」

腕を伸ばして渚の体をつかむけれど反応がない。考えるよりも体が先に動いていた。水の中に飛び込み、渚の体を持ち上げようとする。岸から紗帆が引っ張ってくれるけれど、なかなか上がってくれない。

激しい水しぶきに自分の体まで流されてしまいそう。だけど今は渚を助けるほうが先だ。

「がんばって!　もう少しだから!」

その声は——埜乃さんだ。叫び声に気づいてくれたのだろう、紗帆と一緒に引っ張り上げてくれている。

やっと岸に体を上げると、私もすぐに川から脱出した。

月明かりの中、渚の顔は真っ白になっていた。息をしていないのが、ひと目でわかった。

「救急車、救急車を!」

紗帆に告げ、渚の胸の上で両手を重ねた。自動車免許を取る時に心臓マッサージの実習があった。

必死でマッサージをしても渚は壊れた人形のように動いてくれない。

「運命は変えられない」

いつの間にいたのか、悠翔さんの靴先が見えた。

「な……」

手を止めずに顔だけを向けるけれど、暗闇の中では悠翔さんの表情がうまく見えない。

「汐美渚は亡くなる運命だった。さっき食べたのが、彼女の最後の食事だ」

なにを言っているのかわからない。どうして悠翔さんが渚の苗字を知っているのだろう。

頬を流れるのは川の水？　それとも汗、涙？

わけがわからないまま心臓マッサージを続けた。

「運命は変えられる。変えられるはず……！」

息が上がるのも構わずに叫ぶ。こうやってまた大切な友だちを見送るの？　嫌だ、絶対に嫌だ！

「手伝います」

埜乃さんが渚の服のボタンを外してくれた。通話を終えた紗帆がライトを向けた。

お願い、助かって。晴香、どうか渚を助けて！

渚の胸がビクンと震えた。埜乃さんにも伝わったらしく互いの目を合わせる。

「渚、お願い、息をして！」

必死で心臓マッサージを続けると、今度こそ渚の体が大きく跳ねた。

自ら体を横向きにしたあと、渚は咳き込みながら大量の水を吐き出した。

「苦し……い。気持ち悪い」

ライトに照らされた顔色が真っ赤に染まっている。

「渚！」

「うえ……。あ、鳴海？　なに、どうしたの？　大丈夫？」

よかった……。地面にへたり込むと、やっと悠翔さんの表情が見えた。

彼は、信じられないという顔をして渚を見つめていた。


券売機のボタンを押すと、あっけなく切符が吐き出された。

恐る恐る手にすると、

「おめでとう」

渚が自分のことのようによろこんでいる。

「はいこれ」と、紗帆が私にペットボトルを差し出した。今日は紗帆がお茶ゼリー入りの深蒸し茶を作ってきてくれた。

「じゃあ、次は乗車だね。乗れなくてもいいからね」

「うん」

ホームに立つと、あの日の風景がリアルに思い出せた。ここにいた時はまだみんな笑顔にあふれてて、その先に待つ悲劇も絶叫も知らずにいた。

「大丈夫？」

心配そうな渚にうなずいてみせた。

今日は三人で静岡東西線に乗り浜松市へ向かう予定だ。八月末のホームは、日曜日ということもあり混んでいる。

音を立てて滑り込む電車に思わず胸を押さえる。怖い。怖くてたまらない。

だけど……運命を変えるって決めたから。

開いたドアから乗り込むと、すぐに座席に腰をおろした。大丈夫、と言い聞かせているうちに電車は出発した。

私を真ん中にして座るふたりの顔を交互に見た。

「これで……トラウマ、克服できたかな？」

「今のところは、ね。途中で気持ち悪くなったら帰ればいいから」

やさしい渚。

「うちの親が車で迎えに来てくれるって」

紗帆の言葉が胸に染みる。

電車の窓の向こう、青々しい木々が溶けている。お茶ゼリーを飲むと、緊張が解けた気がした。

「あのさ」と、渚が私に顔を近づけた。

「あたしもトラウマを克服したいから、秋になったらつき合ってよね」

「じゃあわたしも。健康診断受けなくちゃいけないいんだよね」

そう言うふたりにうなずく。

「みんなでトラウマを克服しようよ」

「えー、意外。鳴海からポジティブな言葉が出るなんて」

茶化してくる渚をにらみつけた。

「そういえば、結局富士市に行くことにしたの？」

不安げな表情の紗帆に、首を横にふった。

「実はやってみたいことがあってね。結局そっちに行くことにした」

「それって掛川で？」

今度は渚のターンだ。すう、と息を吸ってから私は答える。

「そうだよ。家から近いの」

宮崎くんに電話をかけたのは先週のこと。ふたりで晴香のおばさんに会いに行った。

卒業したら茶畑を手伝うと決めたことは、まだふたりには内緒にしておこう。

「晴香から受け継いだこともあるんだよね」

そう言う私に、渚が大きくうなずいた。

「ハルは趣味が多かったからね。やりたいことをいつもあたしたちに話してた」

「ああ……そうだったね」

「鳴海は今でも小説を読んでいるんでしょう？　タカさんが言ってたよ」

「うん」

バッグの中には今日も小説が入っている。読み終わるたびに晴香に感想を告げるクセはこれからも変わらないだろう。

「あたしも実は受け継いでるの。『キッチンカー巡りをしたい』ってハルはよく言ってたんだ。まずは静岡県内のキッチンカーを巡ってから全国制覇を目指すんだってさ」

「え……それって」

渚の趣味じゃないの？

「あの子、人によって自分の趣味をわけて教えてたみたい。紗帆には『ゲーム配信をしたい』って言ってたんだよね？」

「そう言われたけど、わたし、ゲームが苦手でね……」

困ったような顔で言う紗帆が、手のひらを渚に向けた。

「その夢は渚に受け継いでもらったの。代わりに、もうひとつの夢、『大会社で社長にまで昇りつめる』というのにチャレンジしてるんだよ。成長しそうな会社に就職してみたけど、今のところはうまくいってる」

そっか。そうだったんだ……。

晴香は私たちに自分の夢を託したんだね。私は小説を読み、渚はキッチンカー巡りとゲーム。紗帆は社長を目指す。

「晴香がくれた宿題みたいだね」

そう言う私に、友だちふたりは誇らしげにうなずいた。

人生の線路は続いていく。私を乗せた電車もやっと走り出したようだ。

これからも新しい問題は起きるだろう。でも、運命を変えると誓ったあの日から私なりに生きられている。

これでいいんだよね、晴香？

緑の向こうに広がる青空。太陽がまぶしくて目を細めると、大好きな彼女が笑っているような気がした。

幕間　神代悠翔

「解せないな」

この数日、この言葉ばかり口にしている。

最後の晩餐の対象者の名前は頭に浮かんでいたから知っていた。彼女は俺の食事を食べると大粒の涙を流していたし、間違いではなかったはず。

それなのに、なぜ汐美渚は助かったのだろう。鳴海の言うように、運命を変えることができたのだろうか。

だとしたら俺のやってきたことはなんだったんだ。

イライラしながら野菜を洗っていると、埜乃が「あの」と小声で言った。

「悠翔さんが出す料理は、その人の人生で最後の食事ですよね？　それなのに、どうして渚さんは亡くならなかったのでしょう？」

なんだ。最近大人しいと思っていたが、同じことを考えていたのか。

なにも答えないでいると、埜乃は思いつめた顔を向けてきた。

「前に死の定義について教えてくれましたよね？　人の死は心臓が止まることだ、って。だとしたら物理的に渚さんは一度死んだことになりませんか？」

「……たしかに」

思わず同意してしまったが、埜乃の言うことは正しいとすぐに理解した。

「川で死んだ渚が蘇生により生き返った。つまり、運命自体は変わっていないということか」

それなら辻褄が合う。深くうなずくが、埜乃はまだなにか言いたそうに口をモゴモゴしている。

たぶん、あのことを言うのだろう。

「なんだ？」

あごを動かし、言葉を促すことにした。埜乃はしばらく黙ったあと、目線を不安定にさまよわせた。

「鳴海さん、列車事故に遭ったって言ってましたよね。悠翔さんが同じ電車に乗っていたというのは本当なんですか？」

「ああ」

短く答えるのと同時に、苦い記憶を頭から追い出した。

エプロンをギュッとつかんだまま、埜乃は決心したように口を開いた。

「前に話したことありますよね？　私も同じ列車に乗っていたんです」

「知ってる」

「どうして前は教えてくれなかったのですか？　ここに来る人たちはみんなあの紅葉電車に乗っている。こんな偶然、あるわけがないと思うんです」

隠しておいても仕方ないだろう。水道の蛇口を止めると、しんとした空間に落ちた。

「俺はあの事故で……妹を失ったんだ」

『お兄ちゃん』と、俺を呼ぶ声を今でも覚えている。

「歳が離れていたせいか、大人になってからも親子みたいに仲がよくてな。あの紅葉電車ツアーも俺が言い出したことなんだ」

苦い味が口内に広がるのを感じた。あの日のことを思い出せば苦しくなることはわかっているのに、自らを痛めつけたいかのようにくり返し記憶をなぞってしまう。

時間が止まったように目を見開いたまま動かなかった埜乃が、ようやく視線をさまよわせた。

「妹さんのこと……知りませんでした。悠翔さんも大切な人を亡くしていたのですね」

「花梨という名前だ」

腰につけたキーホルダーを触ると、今でも声が聞こえてくる。

幻聴を追いやるように俺はひとつ息を吐いた。

「それ以来、あの列車事故で生き残った人の死がわかるようになった。死ぬ運命にある人の名前、場所、そして最後に食べたいものが頭に浮かぶんだよ。顔はわからないから、実際に来て初めて一致することが多い。何名かで来店しても、食事を食べれば対象者は必ず大粒の涙を流すからそれでわかるんだ」

誰かに話すのは初めてのことだった。

埜乃は鼻を真っ赤にして首を横に振った。

「どうしてそこまでするんですか？　事故を思い出すようなこと、私なら……できない」

「たぶん、そうすることで自分と折り合いをつけたいんだろうな。俺は妹の命は救えなかったけれど、ほかの人の心は救えてるって——そう思いたいんだよ。今のところ、うまくいってるとは言えないけどな」

自分に与えられた能力を疑う日はまだある。こうして最後の食事を提供していることを迷ってしまうことも。

まだ質問したそうな埜乃に「出発しよう」と告げた。

次に向かう場所は、電車事故が起きた浜松市だ。

悲しい記憶が残る場所に行った時、俺はなにを思うのだろうか。

第五話

四季の向こう側

浜松市

茨城茜姫（十七歳）

お弁当のフタを閉めるとあくびがひとつ。今日はいつも以上に眠気の到来が早い気がする。昼休みの教室であふれる音も気にならないくらい、まぶたが勝手に閉じていく。

二学期最初の席替えで窓側のいちばんうしろの席になったのはうれしいけれど、窓からのやわらかい日差しが眠気を増長させる。

秋が早く終わればいい。寒さに弱い私だから、冬になれば頭もスッキリするかもしれない。ああ、またあくびが生まれた。

椅子ごとうしろ向きに座っている和穂が、「茜姫」と呆れた顔で私の名前を呼んだ。

「まだ食べ終わったばっかりだぜ？」

牧村和穂は高校に入ってからの友だちだ。ショートボブの茶髪はいつ見ても光の輪がかかっていて、大きな黒目は雨の日も輝きを失わない。同性の私から見てもかなりかわいいのに、兄がふたりいるせいか言動が男っぽい。

「わかってるけど眠いんだもん」

一方の私はいたって普通。大きくも小さくもない目、高いと言えないほどの鼻、背は少し低いくらい。伸ばしている髪はそろそろ結ばなくてはならない。まあ、よくいる高校二年生ってやつだ。

そんな私の悩みは、常に眠いということ。元々過眠傾向は強いほうだったけれど、高校に入ってからは、悩むほど寝てばかり。常に眠気と戦っているから、成績も低空飛行を続けている。

「なんたって茜姫は、『眠り姫』だからな」

聞き耳を立てていたのだろう、隣の席から鈴木夏生（すずきなつお）がからかってきた。

マンションの部屋が隣同士のせいで、幼い頃からなにかにつけて一緒に遊ばされた。中学生になってからはふたりで会うことはなくなったけれど、学校の廊下ですれ違うたびにからかわれていた。まさか高校まで同じになるなんて……。

坊主頭だったのに高校に入ってから髪を伸ばし、噂ではこいつを好きな女子がいるとかいないとか。身長の高さにだまされないでほしいものだ。

「うるさいなあ」

私の攻撃にも夏生はひるまない。意地悪く光った目が和穂に向けられる。

「和穂さ、『眠れる森の美女』の話って知ってる?」

「ちょっと、その話はしないって約束――」

慌てて止めようとするが、「あの話ってさあ」と夏生が声量を上げげた。

「グリム童話では『茨姫(いばらひめ)』ってタイトルなんだって。茨の城に閉じ込められて眠り続ける姫なんて、茨城茜姫、こいつの名前そのものじゃん」

「なるほどねえ」

感心したように和穂が腕を組むからガッカリする。

「納得しないでよ。私、百年も眠り続けてないでしょ」

『眠れる森の美女』は、お姫様が魔法使いにより呪いをかけられ百年の眠りにつくおとぎ話。王子様が救出しに来てハッピーエンドというやつだ。グリム童話集の類話では『茨姫』になっていて、そのせいで夏生にからかわれ続けている。

空が茜色(あかね)に染まる日に生まれたという理由でつけてもらった名前だけど、タイムスリップできるなら親を説得して変えてもらいたいほどだ。

「そうじゃなくてさ、美女ってのが茜姫に似合ってるんだよ」

ニッと口角を上げる和穂に、

「「はあ？」」

夏生とハモってしまった。

「茜姫はかわいいし、夏生もそう思ってる。だから意地悪しちゃうんだろうねぇ」

ニヤニヤしながら和穂はあごを上げ、夏生を見下すポーズを取った。

「んなわけないだろ。こいつのどこが美女なんだよ！」

「照れちゃって。素直じゃない男子はかわいくねーぞ」

「な……もういい！」

夏生が退散してくれたのでホッとした。

ああ、疲れる。机に頬をつける私に和穂はクスクス笑っている。

「マジで夏生、嫌い……」

「そう言いながら実は好きなんじゃないの？」

さすがに今の発言は容認できない。ガバッと起き上がって顔を近づける。

「あのね、あいつはずーっと私の天敵なの。冗談でもそんなこと言わないで」

「必死じゃん」

「必死にもなるよ。世界が終わりを迎えたって、夏生のことを好きなることとなんて絶対にないんだから！」

ドラマやアニメでは、幼なじみと最終的に結ばれるようなエンディングが多いけれど、私に限っては絶対にないし、夏生だって同じだろう。

「わかったって。もう言わないよ」

同級生なのに和穂はまるでお姉さんみたい。今だってふてくされる私に余裕の笑みを浮かべている。

「そういえばさ」と和穂がスマホを開いて見せてきた。

「もうすぐ『紅葉電車』が復活するね」

画面には、紅葉や銀杏の木々を割るように走る電車の写真が表示されている。沼津駅と浜松駅を往復する紅葉電車。どちらかの駅近くにある温泉旅館に一泊する企画旅行で、ネットニュースで復活するという記事を見た覚えがある。

「それって昔事故が起きた電車だよね。うちらが小学生くらいの時の話だっけ？」

土砂崩れが起き、亡くなった人もいたはず。浜松山を迂回する路線を作り、再稼働していたけれどイベント電車は中止のままだったんだ。

「十一月の連休にあるんだって。行ってみたいなぁ」

愛おしそうに画面を見つめる和穂はアウトドア派。休みの日にはお兄さんたちと山登りやキャンプをしていると聞く。私は完全なるインドア派。

「お年寄りしか乗ってなさそう。紅葉とかも興味ないし」

静岡東西線は四季を感じられることで有名だけど、私は自然の風景を眺めることに意味を感じていない。桜や紅葉、海や滝だってわざわざ見に行こうとは思えない。

でも、雪を見るのだけは好き。私の住む浜松市ではあまり雪が降らないから、たまにそういう日があるとテンションが上がる。

和穂がトイレに行くと、ほかの子が話しかけてきた。にこやかに会話しながら、じわりとまた眠気が顔を出している。

チャイムの音が子守唄のように耳に届いた。


マンションのエントランスを抜けたところで、小野田（おのだ）さんに会ってしまった。たしか、名前は美代子（みよこ）さん。雇われ管理人で、平日の十八時までは管理人室にいる。ご主人を早くに亡くし、二十年間もこのマンションの管理人をしているそうだ。六十代に見えるけれど、本当の年齢は知らない。

噂好きでいつも誰かの悪口ばかり言っている印象。まるで自分が建てたマンションのようにふる舞い、住人を叱りつけている姿も何度か見た。古臭いマンションに似合いの小野田さんのことが、私は幼い頃から苦手だった。

「茜姫ちゃん、お帰りなさい」

「こんにちは」

会釈してエレベーターに向かうが、通せんぼするみたいに正面に立ち塞がってしまった。

「ちょっと聞きたいことがあったのよ。最近お母さん見ないけど、大丈夫なの？」

いかにも心配そうな顔を作っているけれど、ここで話したことが住人に伝わることは体験済みだ。三階のなんとかさんが不倫したとか、十階のなんとかさんの娘が家出したとか、聞きたくもない情報をこれまで押し売りされてきた。

「母ですか？　ここには来てませんが、外で会ってますよ」

「そうなのね。お母さんはお元気？　だって、普通は離婚したら子どもを連れて出て行くものでしょう？　お父さんのもとに置いてくなんて私だったら考えられないもの。茜姫ちゃんがかわいそうでかわいそうで」

猫なで声の小野田さんに無理やりの笑顔を作った。

「母の実家が遠いんですよ。推薦入試で高校を決めちゃったから、ここから通うしかないんです」

　小野田さんは私の真意を読み取るように湿気を含んだ目で見つめてくる。

「本当にそれだけ？」

「……え？」

「だって母親なら、もっと会いに来るものでしょうに」

「ああ」と、ニッコリ笑う。

「高校を卒業したら、母親と暮らすことになっているんです」

　本当のことを伝えたのに、小野田さんは追及を止めない。

「離婚の原因って、もしかしてお母さんが不倫とかしたからじゃないの？」

「まさか、やめてくださいよ。母は仕事人間で、そういう話はありません。それに、今でも三人で外食とかしているんですよ。昔より仲が良くなったみたいに感じています」

　これは嘘だ。離婚以来、三人で顔を合わせたことなんて一度もない。バレないよう、大げさに笑ってみせると、小野田さんは体をずらし帰ることを許してくれた。

「それなら安心したわ。こんなこと言ったらなんだけど、茜姫ちゃんのお母さんって愛想がないじゃない？　お父さんとは大違い」

「そうなんですよね。すみません」

娘である私にそんなことを言う？

「やだ。そういう意味じゃなくって、お父さんが明るすぎるからそう思っちゃうのよね。あ、今の話は内緒にしてね」

おほほ、とほほ笑みながら小野田さんは去っていった。

エレベーターに乗り、ホッと息をつく。五階で降りてふたつめのドアが私の家。カギを開け、照明をつける。制服はそのままに、ソファに身を投げ出した。

両親が離婚したのは二年前の今頃だった。推薦入試を終えた日の夕食時に、普段は別々に食事をとるふたりが珍しくテーブルについた。

てっきり推薦入試でのことを聞かれるのだと思っていたし、合格する自信もあった。

意気揚々と口を開く前に、

「お父さんと離婚することになったの」

疲れた顔の母が、平坦な声で言った。

去年あたりから、ふたりはまるでお互いが幽霊であるかのようにふる舞い、いつしか家族とは呼べなくなっていた。

そのうち離婚するだろうな、とは思っていたけれど、まさか入試が終わった日にその話をされるなんて。

「あ、そう」

ムッとして適当にうなずきながら夕食を食べた。

大きなケンカがなかったから積もり積もったものが爆発しただけ。そうに決まっている……。

けれど、入試の合格発表を待つこともなく母は出て行ってしまった。

母の実家はここから車で三十分くらいにある。そこから高校に通うにはバスで一時間以上かけて浜松駅に出なくてはならないし、さらにバスを乗り換えなくてはならない。だから、母について出て行くのは現実的には厳しいこと。

わかっているのに、ひと言も『茜姫はどうしたい？』と尋ねられなかった。母は、自分の意志で私を連れて行かなかった。離婚調停を経ることもなく、私は父のもとに残された。

面会交流は月に一度。外で母に会うと、前よりもやさしくなったような気がしている。笑顔も多くなったし、私の心配もしてくれている。メールやＬＩＮＥだってたまに届く。

だけど……あの日、私は母に捨てられた。その思いが消えないアザのように心に染みついている。

ソファにもたれて天井を眺めていると、音もなく眠気が私を包みはじめる。

夕ご飯の支度をしなくちゃ……。洗濯物も取り込まないと……。

眠りはその気持ちを放棄させ、まぶたを重くしていく。


玄関のドアが開く音に、ハッと目を開けた。

時計を見るともう十九時。いけない、と思っても体に眠気がしがみついているようで、ソファから立ち上がれない。

「よう」

父がリビングに入ってきた。青いパーカーに白いパンツ。もう四十五歳というのに大学生が着てそうな服装だ。

「ごめん、まだご飯作ってない」

「LINEしたけど返事なかったから寝てるだろうな、って。ほら、これ」

父はエコバッグを持ち上げた。スマホを見ると、『バンメシどうする?』というメッセージが届いていた。

お茶を用意してテーブルで向かい合う。

「今日はどうだった？」と、弁当を渡しながら父が尋ねた。

「それ、毎日聞いて楽しいの？」

今日のお弁当も幕の内弁当。父が選ぶのはいつもこれだ。五十円引きのシールが貼ってある。

「そりゃあ楽しいさ。娘がどんな一日を過ごしてきたか、父親なら誰だって聞きたいに決まってる」

父は変わってしまった。昔はスーツを着こなしバリバリと仕事をしていたのに、離婚の数カ月前、急に髪を茶色に染め、バイト生活に突入。今ではスーパーのバイトをしている。

そんなんだから母に捨てられるんだよ。私というおまけつきで。

「父親って言うなら、ちゃんと仕事をしてよ。その恰好にその髭、仕事帰りとは思えないけど？」

あごからピョンピョン生えている不精髭を指さすと、「うげ」と言った。

「今日は休みなんだよ。散歩がてら弁当を買いに行っただけなのになあ」

「いつまでもスーパーのバイトってわけにはいかないでしょう？　小野田さんに知られたら大変だよ」

「あのばあさんか。まあ、バレたらバレた時だよ」

ニコニコしている父に聞こえるようにため息をついた。

「お母さんから仕送りをもらって生活しているなんて恥ずかしくないの？」

さっき小野田さんに言われたことが尾を引いているのか、冷たい言葉を投げてしまった。けれど父の防御力は高い。

「俺にだってそれなりの貯金はある。それに母さんがくれてるのは茜姫の養育費だけ。稼いでるほうが支払う、ってのは法律にも定めてあるのであーる」

「その『あーる』って口ぐせ、いい加減止めたら？」

「気に入ってるのであーる」

なんて平気な顔で笑っている。

昔は仕事命の父が苦手だった。いつも疲れていてムスッとしていて、休みの日にも寝てばかりだった。なのにたまに『そうであーる』という寒い冗談を口にしていたっけ。

今では昔が嘘みたいにやたら話しかけてくる。話しやすくなったのはたしかだけれど、人ってこんなに性格が変わるものかと驚いてしまう。

「で、学校はどうだった？　和穂ちゃんは元気？」

「ちゃんづけしないで。和穂に会ったこともないくせに」

「遊びに連れておいで。お父さんだってお菓子のひとつやふたつ買ってくるし」

「そういう時は、お菓子のひとつやふたつ作る、って言うんだよ」

不思議だ。ふたりが離婚して二年、前よりも親子の会話は増えている。父はやけに溺愛してくるようになったし、母も前よりやさしくなった。

私という犠牲者を出した離婚だけど、ふたりが平穏ならそれでいいか……。

「最近は公園の紅葉がきれいだぞ。いよいよ秋って気がするよなぁ」

箸を指揮者のように揺らす父に、学校での会話を思い出した。

「和穂がね『紅葉電車』の話をしてくれたんだよ」

「え、マジか」と、父がスマホで検索しはじめた。

「なつかしいなあ。おお、本当だ。十一月の連休に再開！」

和穂と同じようにスマホの画面を印籠のように見せてくる。

「なあなあ、紅葉電車ツアーに参加しようぜ」

「え……嫌だよ。家にいたほうがいい」

余計なことを言うんじゃなかった。父はすっかりそのつもりで、ツアーの詳細を調べている。嫌だ、絶対に行きたくない。

けれど、父が口にした次の言葉、

「母さんも誘って三人で行こう」

に、決意はあっけなく崩れ落ちた。

「……三人で？　え、ほんとに？」

「たまにはいいだろ？　母さんもきっとよろこぶのであーる」

母とふたりで旅行したことはあったけれど、当時仕事で忙しかった父は参加していない。三人で旅行ができるのなら、紅葉電車ツアーに参加してもいいかもしれない。うなずきかけたところで大事なことを思い出した。

「でも、それって昔、事故が起きた電車だよね？」

ウインナーをつまんで尋ねると、父は「あ」とバツの悪そうな表情を浮かべた。

「そういえば、茜姫には言ってなかったか……」

「なんのこと？」

「小五の時に林間学校で家を留守にしたことあったろ？　その時に母さんとふたりで紅葉電車ツアーに参加したんだよ。まさしくその事故が起きた電車に乗ってたんだよな」

「え、そうなの？」

　父が思い出すように眉間のシワを深くした。久しぶりに見る真面目な表情に、体に緊張が走る。

「大変な事故だったよ。たくさんの人が亡くなって、けが人もたくさんいてさ」

「ぜんぜん知らなかった……。ケガはなかったの？」

　尋ねる私に父は「ああ」と感嘆の声を上げる。

「茜姫が俺を心配してくれるなんて……」

「それはいいから、事故の話を聞かせてよ」

　まさかニュースになった事故に両親が遭遇していたなんて……！

「たまには浸らせてくれよ。まあ、結果から言うと、俺と母さんは土砂崩れに巻き込まれた車両にはいなかったから無事だった。といっても、隣の車両だったから頭を打って俺だけ病院に運ばれたけどな」

「え、病院？」

　まさかこんな話になるとは思っていなかった。驚きのあまりなにも言えないでいると、父はひとつため息を落とした。

「茜姫に心配させちゃいけないって話し合って、事故に遭ったことは内緒にすることにしたんだよ」

それならよかった。いや、亡くなっている人もいるからそんなことを言ってはいけないけれど。

「事故で旅行が中止になっちゃったから、誘ったら母さんもよろこぶよ。線路の位置も変えたからもう事故も起こらないだろうし」

まだ行くと答えていないのに、父はすっかり家族で参加することを決めたらしい。不承不承にうなずきながらも少しワクワクしている自分もいる。今度会ったら、母に聞いてみよう。

マンションまで迎えに来た母は、私を乗せるなりバックミラーを確認した。

「小野田さんに見つかったら大変だもの」

「わかる。あの人、誰かの噂ばっかりしてるからね」

秋晴れの日曜日、いつものように母の実家へ向かう。信号で停止すると、ようやく母は助手席の私に目を向けた。

「また髪の毛が伸びたみたいね。すごく似合ってるよ」

「そっちこそ、それ新しい服じゃない？」

　薄緑のストライプシャツ、スカートは秋らしい朱色で、いつも縛っている髪を今日は下ろしている。メークだって家では見たことがないほどしっかり決まっている。

「ああ、これ？　通信販売で買ってるの。当たり外れは多いけど、街まで買いに行く時間がないからね」

　浜松駅に行くことを母の地域に住む人は『街に行く』と表現する。亡くなった祖母もよく口にしていた。

　左手に浜名湖の青色が広がり出した。海よりも濃いその青を、見に来る機会は少ない。浜名湖沿いの線路を列車がのんびり走っている。

　天竜浜名湖鉄道の寸座(すんざ)駅の前で右に曲がれば、山の斜面に建つ母の実家が見えてくる。平屋建ての古い家で、周りには数軒ほどしか家がない。

　駐車場で車を降りると、高台に建っているおかげで寸座駅と浜名湖、その上に広がる大きな空も見える。

「なんで実家に戻ろうと思ったの？　不便だし、職場も遠くない？」

「リモートワークだから問題なし。それに、茜姫を大学にも行かせるためには家賃のかからない実家がいちばん」

玄関のカギを開けると、母は私を先に行かせた。ギシギシ音を立てる廊下の先に、それほど大きくない居間がある。古い内装に似合わないソファが置かれている。

「それにね」と冷蔵庫からお茶のペットボトルを取り出して母は言う。

「このあたりには不思議な伝説があるのよ」

「またその話？　もう聞き飽きたよ」

寸座駅にはなにやら伝説があり、祖母からもさんざん聞かされてきた。伝説とか言い伝えに目がない母。ほかにも「浜松市には誰も知らない地下道がある」とか「駅ビルに入っている喫茶店には幻のメニューがある」など、それ系の話題が尽きない。

仲の悪い両親だったけれど、父はよく母の伝説話につき合っていたっけ……。

「ちょっとくらいお母さんの趣味につき合ってくれてもいいでしょうに」

「私は現実主義なの。空想とか伝説の話は聞きたくない」

月に一度、母に会うとこんなくだらない話ばかりしている。

会えば昔と変わらない……ううん、前よりもやさしい母なのに、どうして私を捨てたの？

聞けない言葉たちと眠気が頭の大半を占めている。

「お父さんは元気?」

なにげない口調で尋ねる母に、「うん」とうなずいた。

「そう。仕事は?」

「あいかわらずスーパーのバイト。しかも短時間勤務に変えたみたい。お母さんからも厳しく言ってやってよ」

「大丈夫よ。こっちがバリバリ仕事してるから問題なし」

母の仕事は会計士。結婚している時はパート勤務だったが、離婚を機に正社員になり、この二年で副部長にまで昇りつめたそうだ。

まるで夫婦の役割が逆転してしまったかような印象だ。

「お母さんってお父さんに甘すぎるんだよ」

「あら、そう?」

「そうだよ。根無し草みたいにフラフラしてるし、あれじゃあそのうちバイトすら辞めちゃうんじゃない?」

そうなったらあのマンションはどうなるんだろう? ローンの心配をしている女子高生なんて聞いたことがない。

「お父さんのことは心配しなくていいの。茜姫はしっかり勉強がんばりなさい。成績はかなりまずそうだけど」

いたずらっぽく言ってくるので顔をしかめた。

「だって眠くてたまんないんだもん」

そう言いながら母の顔を見て違和感を覚えた。なんだか会うたびに痩せていく印象で、顔色だってすぐれない。

「お母さん、なんか疲れてない？」

「平気よ。健康診断でも異常がなかったし。あるとすれば茜姫の成績が心配だからかしら」

「げ」

おかしそうに笑う母が、どこか無理しているように見えるのは気のせいかな……。

「高校を卒業したら、ここに住んでいいの？」

「……ええ、そうね」

私がこの質問をする時、毎回母は一瞬だけ迷いを浮かべる。自分で気づいていないのだろうけれど、そのたびに傷ついてしまう。

ひょっとしたら一緒に住みたくないのかもしれない。最近綺麗になったのも、痩せたのも誰か好きな人ができたとか……。

離れていると余計なことばかり想像してしまう。

「紅葉電車ツアーの話、聞いた？」

これ以上ダメージを喰らわぬよう、話題を変えることにした。

「十一月の連休よね？」

「でも、お母さん、電車が苦手って言ってなかった？」

母は電車酔いがあり、ふたりで旅行に行くときも移動手段は車ばかりを選んでいた。

「それがねえ」とため息をついた母が、遠い日を見るように目を細めた。

「お父さんに聞いたでしょう？　紅葉電車のツアーに参加した時の事故のこと」

「うん。でも違う車両に乗ってたんだよね？　お父さんは頭を打ったって言ってたけど」

「お父さんは石頭だから大丈夫。それより、お母さん、それ以来電車に乗るのが怖くなっちゃったのよね。リハビリを兼ねて久しぶりに乗ってみようかな、って」

あの事故が原因で電車が苦手になったんだ。たしかに自分が乗っていた電車が大事故を起こせば、トラウマになるかもしれない。

「紅葉電車は往復運転で、茜姫たちは浜松駅発のに乗るのよね？　お母さんは静岡駅あたりまで車で行って、そこから参加しようかしら。いきなり長距離乗るのは厳しそうだし」

「うん、わかった」

「それより寸座駅の伝説の話をしましょうよ。雲ひとつない夕暮れ時にね――」

うれしそうに話しはじめる母に耳を塞ぐと、「ひどい」なんて嘆いている。

きっと母は、私が高校を卒業する日が来なければいいと思っている。一緒に住みたくないのならそう言えばいいのに。

聞けない私も同じくらい弱虫なのだろう。

昨晩もぐっすり寝たというのに、ぜんぜん眠気が取れない。どんどん眠気に侵食されていくようで、学校にもやっとたどり着いた感じ。

教室の黒板、机、クラスメイトの顔もとろんと溶けているように見える。病院を一度受診したほうがいいのかもしれない。

父はそんな私に気づかず、今朝は起きてもこなかった。

「大変！　すごい噂を聞いたんだけど！」

興奮状態の和穂がどすんと前の席に座った。

「あ……おはよう」

「ねえ、起きて！　すごい話を聞いちゃったの」

体を揺さぶられ、渋々目を開ける。

「秋山さんって覚えてるでしょう？　ほら、去年一緒のクラスで——」

「秋山って、一年生の時に転校した秋山さんのことか？」

またしても夏生が話に割り込んできた。が、今日は文句を言う元気もない。

「そう、その秋山さん。静岡に引っ越してからも連絡とってたんだけどね、去年おばあちゃんが亡くなったんだって」

秋山茜さんとは仲がよかった。同じ漢字が使われている名前同士、よく教室で話をした。けれど、急に静岡に行くことになりそれっきりになっていた。和穂がまだ連絡を取り合っていたことに驚いてしまう。

「で？」

と、夏生がずいと体を前に出した。

「病院に行った時にね、おばあちゃんが教えてくれたんだって。『最後の晩餐を出すキッチンカーがある』って」

「は？」

思わず眉をひそめてしまった。これは、私が嫌いな伝説の話かもしれない。

私の不満に気づかず「でね」と椅子の上で股を開き、和穂は話し続ける。

「白と黒のストライプ柄のキッチンカーで、椅子に座って食べるスタイルなんだって。注文してないのに思い出の料理が出てきたみたい。食べると自分の死を受け入れることができて、実際にその話を秋山さんにしてくれた日におばあちゃんは、う
う、安らかに亡くなっ……ううっ」

話をしながら和穂は涙にむせんでいる。

「偶然じゃないの？」

そう言うが、和穂は首をブンブンと横にふる。

「おばあちゃんね、直前まで経管なんとか……ほら、チューブでつながってるやつ」

「経管栄養」

「そう、それ。とにかく食事をとれなかったみたい。なのに、急に息子さんたちを連れてそのキッチンカーに行ったんだって。最後の晩餐を提供するキッチンカーなんて、すごくない？」

そうだろうか。それなら一緒に食べた息子さんたちも一緒に亡くなっていないとおかしいと思う。そもそも、人生最後の料理なんて縁起が悪すぎる。

「マジかよ。それ見たら全力で逃げないとな」

「でも、自分の意志では逃げられないのかもよ」

ノリの悪い私をあきらめて、和穂は夏生と盛り上がっている。

今、この中でいちばん死に近いのは私かもしれない。百年の眠りにつくのは嫌だけど、抗えない眠気にはきっと負けてしまうだろう。

「茜姫の思い出の料理ってなに？　あれ、茜姫、起きてる？」

「……ん？　ああ、なんだろう」

なんとか目を開くと、

「私は卵焼きかなあ。甘いやつ」

ほくほくと和穂は笑みを浮かべている。

「俺は肉団子。いや、お好み焼き……ステーキもいいな」

「それって好きな食べ物を並べてるだけじゃん」

私の代わりに和穂が夏生にツッコミを入れた。

思い出の料理か……。ぼんやりした頭でもすぐにわかる。

私の思い出の料理は、牡蠣グラタンだ。ホワイトソースが好きな私のために母がよく作ってくれた。父は牡蠣の下ごしらえをする担当。片栗粉まみれになる父の姿を覚えている。

オーブンを三人で代わりばんこに覗き込んで、ちょうどいい焼き目を待った記憶。

そういえば、離婚すると報告された日も、旬じゃないのにあのメニューを三人で作ったっけ。ある意味、家族としての最後の晩餐だったよね……。

「なあ」

急に肩を叩かれ、ハッと目が覚めた。顔を上げると和穂はほかのクラスメイトと話をしていた。横を見ると夏生は不機嫌そうに顔をゆがませている。

「荷物まとめろよ」

「……なんで?」

「いいから。先生には言ってきたから」

いつの間に?　壁の時計を見るといつの間にか十分も過ぎている。

強引に席を立たされ、気づけば校門のそばまで来ていた。ようやく意識がはっきりしてくると、夏生が私の手を引っ張るように前を歩いている。

「ちょ、どこ行くのよ」

けれど夏生は答えず足早に私を連れ去ろうとしている。

「ちょっと！」

手をふり払うと、夏生は怒ったような顔で私を見てきた。

「その眠気、いくらなんでもヤバすぎるだろ。病院に行くんだよ」

「な……なんでよ。余計なことしないで」

「どこが余計なんだよ！」

校門の前で争う私たちを、登校してきた生徒たちが物珍しそうに見ている。

教室に戻ろうと体の向きを変えるが、景色がぐにゃりとおかしな形になっている。

「悪かったよ。『茨姫』なんてからかって悪かった」

「別に……気にしてないし」

眠い。早く横になって眠りたい。

「思い当たることがあるんだよ。俺も小三の時に、そんなふうになったことがあるから」

冷たい木枯らしが、私たちの間をすり抜けた。

「それって、夏生の従妹さんの……？」

小三の夏休みに夏生の従妹が亡くなった。交通事故だった。

「葬式に出てから急に眠気が取れなくなって、夏休み中は寝て過ごした。無理やり病院に連れて行かれたら病名がつけられた。なんとか過眠症っていう病気だった」

「………」

「親が離婚してからのお前を見てたら、一緒だなって。きっとすげえストレスがかかってるんだよ。だから、病院に行こう。薬をもらえれば治るはずだから」

真剣な目で訴えてくる夏生に肩の力が抜けた。ああそうか、夏生は私を心配してくれているんだ……。

「じゃあ放課後に行くからつき合ってよ」

「は？　だから今から行った方が――」

「この眠気の原因が親の離婚だったとしたら、余計に心配させちゃうでしょ。そしたらもっと症状がひどくなっちゃうかも」

夏生は口を「う」の形にして困っている。

「でも、心配してくれてありがとう」

「別にそういうんじゃねーよ」

チャイムの音に促され、私たちは教室に戻った。

さっきまでの眠気は少し治まっているように思えた。

「なんだそれ」

　ソファと一体化するように寝ていた父が、私を見るなりそう言った。

　言われるのも無理はない。黒くて大きな機械に長い透明の管、マスク一式が入った大きな袋を下げて帰宅したのだから。

　受診を初めて二週間。病院の先生は『ナルコレプシーか睡眠時無呼吸症候群の可能性がある』と説明してくれた。どちらも日中の眠気を引き起こす病気らしいが、聞いてもあまり理解できなかった。

　今日からしばらくマスクをつけて寝なくてはならないそうだ。

「別になんでもないよ」

　そう言う私に、父は「へえ」と言った。

「そういえば俺、明日からまた旅に出るから」

　おそらくスーパーのバイトも辞めてしまったのだろう。ここのところ、家にいないことが多い。根無し草どころか、糸の切れた風船みたいだ。

「旅行に行くのはいいけど、来週の紅葉電車のこと忘れないでよ」

「もちろん。めっちゃ楽しみにしてるし」

「お母さんは静岡駅から乗るんだって」

「あ、そう」

興味のない声にガッカリする。

ふたりがいつか元サヤに戻る日が来る。そんな幻想を無意識に抱いていたのかもしれない。

この願いを捨て去ればきっと眠気もなくなるのだろう。規則正しい生活と、悩みごとを解決することが必要だと主治医が言っていた。だけど、現実は悩みが波のように押し寄せてくるばかり。

「あのさあ、前から言ってるけど仕事はちゃんとしてよね」

「バカ。少しでも茜姫のそばにいたいからそうしてるんだろ」

ソファの上であぐらをかいた父のあごは、いつの間にか髭で覆われている。ヨレヨレのパーカーにゴムの伸びた靴下姿が情けない。

「私のせいにしないでよ。そばにいたいんなら、なんで旅行三昧なわけ?」

「それは……まあ」

ゴニョゴニョと言葉を濁す父に、怒りがさらに沸きあがる。

「仕事で忙しかった時となんにも変わんないじゃん。うちの家族はみんな好き勝手して、私のことなんて考えてないんだよ」

「………」

都合が悪くなると黙るのも一緒。

「ずっと思ってた。お父さんもお母さんも、私のことが邪魔だと思ってるんだよ」

「違う。それは絶対に違う」

ハッとした顔をしてももう遅い。二年間ずっと感じていたことを言葉にしてみてわかった。これが、私たち家族の真実なんだ。

「もう、いいよ！」

家を飛び出し、エレベーターに飛び込んだ。諦めの気持ちと一緒に下に降りていく。

行く場所なんてない。学校指定のコートでは防げない寒さに耐えながら、あてもなく歩く。

せめて病院で渡された機械の入った袋だけは置いてくればよかった。

「ああ」とため息をつけば、白い息が宙に逃げていく。

こんな時なのにまだ眠いなんて。どこかに座ってしまったら、眠り込んで凍死してしまうかもしれない。それくらい秋の夜風が冷たい。

その時、アスファルトを蹴る足音が聞こえた。父かもしれない、と恐る恐るふり向くと、黒いシルエットが向かってくる。

すぐに夏生だとわかった。私の前にくると、ぜいぜいと荒い息を吐いた。

「おい、マジで家出とかすんなよ」

「え？　なんで知ってるの？」

「あんな大声で怒鳴っておいてよく言うよ。うちのマンションの壁の薄さをあなどるなよ」

灰色のトレーナー姿の夏生。さっきの騒動を聞いて駆けつけてくれたんだ……。

「別に家出じゃないし。ちょっとコンビニに行くだけ」

「だったらその器具は置いてくるべきじゃね？」

「まあ、そうだけど……」

どちらからともなくガードレールに腰を下ろした。住宅街の向こうに丸い月が浮かんでいる。

「いろいろあるよな」

夏生の横顔が月に照らされている。サラサラと銀色の光が、彼の伸びた前髪に降り注いでいる。

「うん」

夜が私の心の波を沈めていくようだ。夏生が私の顔を覗き込んだ。

「うちの親、茜姫の名前を真似(まね)したの知ってる？」

「私が秋に生まれたから茜姫、夏に生まれたから夏生。もう百回くらい聞いたよ」

本当は茜空の下で生まれたからなんだけど、似たようなものだろう。

ガハハと夏生が豪快に笑ったあと、すうと息を吸い込んだ。

「子どもの俺たちにはわからないけど、親もいっぱい悩んだと思う。茜姫のおじさんやおばさんが別れたのも、きっとそうなんだよ」

「子どもじゃないし」

ムッとする私に夏生はひょいと人差し指を向けた。

「そういうところが子どもだし」

「うるさいなあ」

そう言いながら笑ってしまった。昔からそうだ。普段はからかってくるくせに、落ち込んだ時だけやさしい言葉をくれた。

「でも、私だってさみしいんだよ」

穏やかになった気持ちと同じだけ、悲しみがその隙間を埋めていく。

「紅葉電車ツアー、参加するんだろ？」

「だね。そこで溜まってた感情が爆発しちゃうかも」

「いいんじゃね？　言いたいことを言ってスッキリすれば、眠気もどっかに消えてくれるかも」

寒そうに夏生が体を小さくした。確実に北風はこの街の温度を下げている。

「帰ろうか」

立ち上がると、夏生はニッと笑って横に並んだ。

いつの間にかまた身長が伸びたらしく、見下されている恰好になった。

「追いかけてきてくれてありがとう」

せっかくお礼を言ったのに、夏生は肩をすくめて歩き出してしまう。

かわいくないやつだ。彼も、私も。


宣言通り、旅行に出かけた父は、紅葉電車ツアーの前日になっても帰って来なかった。ＬＩＮＥをしてものん気な返事が返ってくるだけで、当日は母が迎えにくると記してあった。

予定変更には慣れているし、最初から期待していない。それに、受診の結果がずっと気になっている。

無呼吸症候群のテストは問題なく、私には『ナルコレプシーの疑いがある』というよくわからない診断が下された。専門医のいる総合病院を受診することを勧められ、紹介状を渡されたのが一昨日のこと。

今日までは母に許可をもらい、学校を休みひたすら寝ていた。ベッドに溶けてしまうほど寝たのに、今朝になってもまだ半分夢の中にいるようだ。

フラフラと準備をしているとバカらしくなってきた。自分だけがひどい目に遭っている気がする。

チャイムの音と同時に母がカギを開けて入ってきた。離婚したのにまだカギを持っているんだ……。ぼんやりとオレンジジュースを飲んだ。

「そろそろ出かけなくちゃ。準備は？」

久しぶりに会った母は憔悴(しょうすい)しているように見えた。顔色が悪く、さらに痩せている。

……ひょっとして、悪い病気なの？

目をこらしていると、「ほら」とグラスを取り上げられた。

「もう行くわよ」

「……行かない」

「なに言ってるのよ。いい加減にしなさい」

腕を引っ張られよろけそうになりながらテーブルに手をついた。

ぼやけた視界に映るのは、私を捨てた人。この二年間一度も父に会いに来なかった人だ。

「……触らないでよ」

意識せずにどろっとした言葉がこぼれた。驚く母の顔を見ていると、ずっと抑え込んできた気持ちのフタが開くのがわかった。

「こんな時だけ母親ぶらないでよ」

この気持ちの正体は――怒りだ。

「ぜんぜん家に来なかったくせに、なんでエラそうに言うのよ。お母さんの実家だってそう。泊まることだって一度も許可してくれなかった」

「茜姫……」

一度あふれた言葉はもう止まらない。ううん、ずっと言いたかったことなんだとやっとわかった。

「お母さんに捨てられて、今じゃお父さんまで行方不明。いったいどうなってんのよ！」

言葉にすればスッキリすると思った。なのに、気持ちを吐露するごとに睡魔が襲ってくるようで。

「今さら家族ごっこなんてしたくない。ふたりのそばにいたくない。ずっと眠っていたいの！」

絶対に泣かない。唇を嚙みしめてにらみつける。反論を覚悟していたのに、ゆっくりと膝をついた母はしおれるように頭を垂れてしまった。

「……ごめんなさい」

力が抜け、その場に崩れ落ちるように私も座り込む。

母は自分を戒めるように顔を上げ、私に視線を合わせた。

「車の中でぜんぶ話すから。お願い、一緒に出掛けてほしいの」

痩せた母の頰に涙が流れている。

罪悪感に負け、近くにあったコートを手にする。手伝おうとする母を押しのけてバッグを手に玄関を出た。

「よお」

隣の部屋のドアに夏生がもたれて立っていた。

「夏生……」

ヤバい。またケンカを聞かれてしまった。夏生は私の手を引き、自分の背中に隠すように母との間に立った。

「おばさん、なにやってんの？」

「夏生くん……」

「茜姫が大変な時になにやってんだよ。それでも親かよ！」

あまりの剣幕に思わず夏生の腕をつかむが、すぐにふり解(ほど)かれてしまった。

大きく息を吐いた夏生が「あのさ」と低い声で言った。

「こいつ、病気になったんだよ。それすらも知らねえんだろ？」

ハッと母が私を見た。

「嘘……茜姫、病気なの？」

「あんたたちが茜姫を病気にした。孤独にしたんだよ」

夏生の声は震えていた。大きな背中にそっと手を当てた。

「夏生、いいから」

「……でも」

「帰ってきたら話を聞いて。とりあえず、行ってくるから」

脇をすり抜け、エレベーターの中に入ってからふり向くと、夏生は心配そうな顔で見送ってくれた。


車は高速道路を静岡市方面へ向かい走っている。

今は菊川インターを過ぎたところ。

「ごめんなさい。ごめん……なさい」

車に乗ってからずっと母はハンカチを手に泣きじゃくっている。

「わかったから」

いくらなだめても嗚咽（おえつ）が止まらないので、危なっかしくて見てられない。

「本当にごめんなさい……」

「もういいから。とりあえず運転に集中して」

そう言ってから窓の外に目を向ける。今日の天気は曇り空。紅葉電車に乗っても、美しい景色は期待できそうにない。

「病院にはいつ行くの？　お母さん、いつでも送り迎えするから」

「予約を取ったらお願いするかも」

「睡眠障害になったのは、きっとお母さんたちが原因ね。本当に……ごめ……」

　これではちっとも話が進まないので話題を変えることにした。

「それよりなんで静岡に向かってるの？　私は浜松駅から紅葉電車に乗るんじゃなかった？」

「ああ」と母は涙ながらにうなずく。

「お父さんの提案でね、静岡駅から浜松駅まで乗ることにしたんですって」

　ということはお父さんは東西線の静岡駅にいるってことか。きっと戻って来る時間がなかったのだろう。

　自分が軽く扱われているような気分はずっと拭えない。私たち親子は誰かが近づくと、もうひとりは離れる仕組みのおもちゃみたいだ。

　ようやく泣き止んだ母を確認し、本題に入ることにした。

「さっき言ってたよね。本当のことを話す、って」

「ああ……」

　左車線に入ると、母は深くため息をついた。エンジン音が急に大きくなった気がした。

「最後の晩餐を提供するキッチンカーの話、聞いたことがある？」

「……は？　それってこんな時に話すことじゃないよね」

伝説の話が好きなのは知っていたけれど、いくらなんでもありえない。

ムッとする私に母は「お願い」と真剣な声で言うので、仕方なく考える。

「そういえば和穂が話してた気がする。たしか秋山って子のおばあちゃんが――」

「その人の人生最後の食事を提供してくれるのよ」

「噂話でしょ。それのどこが、ぜんぶ話すことになるのよ」

こんなことなら夏生を止めるんじゃなかった。体ごと窓に向ける。

流れる風景がまた眠りを誘っているみたい。ひどく体が重く感じた。茨姫が眠りについたのは魔法のせいではなかったのかもしれない。茨のトゲが痛すぎて、眠ることで逃げるしかなかったんだ。

「……お父さんが、そのキッチンカーを見つけたんだって」

「え？」

予想外の言葉にすっとんきょうな声を上げてしまった。

「店主の人に聞いてみたら、本当にそうなんですって。これから三人で紅葉電車に乗ってから、最後に食事をするの」

冗談かと思ったけれど、母の横顔が見たこともないほど真剣で言葉を挟めない。

人生最後の食事を提供するということは、家族の誰かが亡くなるということだ。

母の首筋には血管が浮き出ていて、頬骨もくっきりと見えている。ひょっとして、
母は病気なの……？

「今回ほど噂話であってほしいと願ったことはないの。今でも、お父さんの言うことが嘘であってほしいって思ってる」

「それって……お母さんが、死んじゃうってこと？」

ハンドルを強く握りしめたまま、母は首を横にふった。

「お父さんなのよ」

「え……」

母は車をパーキングエリアに進めた。スピードが落ちているのに、今にもふり落とされそうなほどの恐怖を覚える。

停車スペースに車を停めると、母はハンドルに顔をつけて静かに泣いた。

「どういうこと？　ちゃんと説明してよ！」

あの元気過ぎる父が病気？　そんなはずがない。仕事だって適当だし、最近は旅

行してばっかりだし……。

どれくらい経ったのだろう。暖房の音だけが聞こえる車内で、母は口を開いた。

「お父さんとお母さんは夫婦としてはうまくいかなかった。あなたにもつらい思いばかりさせたわよね」

そんなことどうだっていい。それよりもなにが起きているのかを早く知りたい。

ああ、こんな時なのに頭がぼんやりして、まるで夢の中の出来事に感じてしまう。

「今から三年前、離婚することが決まったの」

「……三年前？」

ふたりが離婚したのは二年前のことだ。

「そのタイミングでお父さんのガンが見つかったの」

「え……」

「茜姫はお母さんと一緒に出て行くことに決まっていた。だけど、お父さんが頭を下げて頼んだの。『自分が生きている間は、茜姫のそばにいさせてほしい』って」

なにを言っているのかわからない。母の言葉が聞いたことのない外国の言葉に変換されているみたい。頭の奥がジンとしびれている。

「もちろん反対した。なにがあっても茜姫だけは私が育てたい、って。でも……お父さんは仕事を辞めた。茜姫が学校に行ってる時間だけバイトをして、あとはあなたのそばを離れなかった。そんなお父さんを見ていたら……」

学校から帰ってくると『おかえり！』と勢いよく玄関に駆けつけてくれた。成績を気にする私に『生きてればなんとかなる』って笑ってくれていた。いつも学校での話を聞きたがっていた。

「お母さんがひとりで出て行ったのは……月に一度しか会わなかったのは、お父さんとの約束を守るためだったの」

「約束、って……」

「最後の日まで、病気であることを話さないこと。それが約束だったの」

涙に負ける母をぼんやりと見つめる。

「お父さん、ひょっとして……旅行に行ってなかったの？」

「抗がん剤治療はしなかったの。茜姫には心配かけたくない、って。でも、最近は具合が悪くて、昨日まで入院していた、って……」

「そんな……」

体中の血が引いていくような感覚に襲われる。私の手を母がギュッと握った。その感覚さえもぼやけている。

「茜姫に本当のことを言いたかった。でも、お父さんが命に代えても守ろうとした約束だから、どうしても言えなかったの。ごめんなさい……」

これは……夢なの？　あんなに元気だったお父さんが死んでしまうなんて信じられない。

「ふたりのそばにいたかった。離婚なんてしなければ、意地を張らずに家に戻っていれば……」

ガタガタとすぐそばで音がしている。ああ、自分の奥歯が震えているんだ……。

「お母さんね」と、涙で濡らした顔で母は私を見た。

「もう伝説は信じないことにしたの。きっとなにかの間違いに決まってる」

自分に言い聞かせるように言うと、母は車を再度動かした。

さっきよりも厚い雲が、世界を灰色に落としている。

静岡東西線の静岡駅は、山の中にぽつりと建っていた。

紅葉電車に乗る人でにぎわっていると思っていたけれど、不思議と誰の姿もなかった。小さな駅舎に紅葉や銀杏の葉が雪のように降っている。

大木に翳る改札口の向こうに、父が立っていた。

母が切符を買うのを待ちきれず、

「お父さん！」

そう叫んで改札口に駆け寄る。

「おお、来たかあ」

髭を剃った父の頬は、ひどく瘦せていた。紺色のスーツ姿も、パーカーを着ている時とは違い、折れそうなほど細いシルエットだ。

改札機に切符を通す向こうで、父が両手を広げたのが見えた。そのまま駆け寄り、父に抱きついた。

「お父さん、お父さん……！」

「茜姫。ああ、よかった。会えないかと心配してたよ」

泣きじゃくる私の頭を、父は大きな手でなでてくれた。

母が涙を拭うのを見て、「おいおい」と父は不満げに言った。

「お前、バラしただろ？」

「だって最後の日まで話さないってことは、最後の日には話してもいいってことでしょ」

「だーっ、お前のその性格、ほんと変わらないな」

「あなたこそ。秘密主義のせいでどれだけ苦労させられたか」

ふたりが言い争っている声が、やさしく耳に届く。あんなにそばにいたのに、私はちっともお父さんのことをわかっていなかった。ううん、お母さんのこともだ。

――これが最後になるかもしれない。

体を離しても、涙のせいで父の顔がはっきり見えない。

「おい、泣くなよ。そろそろ紅葉電車が来ちゃうんだから」

「いいよ、そんなの……」

紅葉電車に乗ってしまったら、浜松に戻ることになる。そこにはキッチンカーがあって……。

「お父さん、嘘だよね？　病気だなんて嘘なんだよね？」

すがる私に、父は申し訳なさそうに眉を下げた。

「今頃病院では大騒ぎになってるのであーる」

こんな時でもひょうきんなことを言う父に、涙が一瞬止まった。

「まさか……抜け出したの？」

「いやあ」と父は自分の体を見下ろした。

「本当はもう駄目だろうって覚悟してたんだ。茜姫とお母さんに連絡するしかないと思ってた。そしたら窓の外にキッチンカーが急に現れたんだよ」

少年のようにうれしそうに言う父をぽかんと見つめる。

「不思議と力が湧いてきてな、病院の外へ行ったら店主の悠翔さんが出てきてくれた。で、約束してくれたんだよ」

「約束……」

ああ、とうなずいた父が目を細めて笑い、私の手を引いた。ホームはまるで落ち葉が絨毯(じゅうたん)のように敷き詰められていた。はらはらと舞う紅葉が一枚、足元に落ちた。

「この駅から浜松駅までの区間くらいは体が持つだろう、って。それが終わったら駅裏にあるキッチンカーで最後の食事をする約束をしたんだ」

「駄目だよ……だって、そうしたらお父さんが……」

「幸せだったなあ」

父が白い歯を見せて笑った。

「この二年間、お前のそばにいられて幸せだった。最後のほうは心配かけたり怒らせたりもしたけれど、お父さん、幸せだったよ」

「お父さん……」

この二年間が終わりに向けての日々だと知っていたなら……。ううん、そしたら毎日が苦しくて余計に心配ばかりしていたかもしれない。

母は私に会うと口を滑らせてしまいそうで、会いたくても会えなかったんだ……。

「お前にも悪いことをした」

父がボソッと母に言った。母はもう涙に暮れている。

「お母さんを責めないであげてほしい。お父さんの最後のわがままにつき合ってくれたんだから」

「そんな最後みたいなこと、お願いだから言わないで……」

「お父さんが死んだらな――」

「止めて！」

あとずさりをして叫ぶ私に、父はさみしげな表情で口をつぐんだ。が、自分を奮い立たせるかのように頬の筋肉に力を入れた。

「茜姫、ちゃんと聞きなさい」

それは――もう終わりだから？　あと少しでもう会えなくなるから？

伸ばした両手を私の肩に置き、子どもをあやすように父は私の顔を覗き込んだ。

「人生は旅に似ている。よく聞く例え話だけど、あれは本当なんだ。俺はもうすぐ人生の旅を終えるだろう」

「言い換えたって……同じだよ」

「バレたか」と父はいたずらっぽく笑った。

「お父さんの旅はすごかった。雨に降られ嵐に巻かれ、お母さんと出会うまでは正直、あんまりいい景色は見てこなかった気がする」

そっと手を離すと、父は線路の向こうに目を向けた。

……聞こえる。遠くからレールの音がかすかに聞こえている。

「正直、お母さんともうまくいかなかったし、原因がお父さんにあるのもわかっている」

母はハンカチで顔を押さえたまま、首を何度も横にふった。

「だけど、茜姫が生まれた日からはずっと快晴なんだ。過去の嫌な出来事さえ、茜姫に会うために必要なことだったんだ、って本気で思えるようになった。ぜんぶ、茜姫のおかげなんだよ」

「私は、私は……」

赤や黄色の葉が作るトンネルから、朱色に塗られた紅葉電車が姿を現した。

「仕事ばかりでちっともふたりのことを見てやれなかった。病気になってはじめてわかったんだよ。だから後悔なんかしてない。お父さんは幸せだったんだから」

「嫌だよ。そんなの、嫌だよ」

「泣くな。旅の終わりに茜姫とお母さんがいる。こんな人生の終わりを迎えられるなんてラッキーだと思うだろ？」

父の真似をして頬に力を入れてみる。だけど、まだ受け入れることなんてできないよ。

ブレーキ音を立て、電車がスピードを落とした。

「私はまだ信じない。キッチンカーの店主に文句を言ってやるんだから」

涙をこらえてそう言うと、父はお腹を抱えて笑った。

悲しみは落ち葉になり、まだホームに、私に、降り続けている。


改札口を出た人たちは、それぞれの帰途についたり温泉宿からの送迎車に乗り込んだりしている。静岡駅と同じく、東西線の浜松駅は山の中にあった。

さっきまでの曇り空は去り、西の空には茜色の夕焼けが広がっている。

「よし、じゃあ行くか」

伸びをした父が、散歩にでも行くような口調で言った。母に腕をとられて歩けば、まるで子どもの頃に戻ったみたい。

駅の裏に回ると、すすきの群れが風に揺れていた。その向こうに、茜色のキッチンカーが見えた。

「本当にあったのね……」

母の声が涙色に変わった。すすきの中でふり向いた父が祈るように私に手を合わせた。

「茜姫、頼むから悠翔さんに余計なことを言うなよ。無理言って紅葉電車に乗せてもらったんだからさ」

「……言わないよ」

なによそれ。まるでその悠翔って人が父の寿命を決めているみたいじゃない。

大股で歩いてキッチンカーに向かいながら気づいた。

ずっとあった眠気がどこにもない。あまりにもショックなことが起きてしまったので、症状が治まったのだろうか。

茜色に見えた車体は、夕日のせいだったらしい。近づけば黒と白に塗られた地味な色の車体に、ＦＩＮＥと小さく書かれている。どう見ても葬儀会社の車にしか見えない。

父を挟んで両側の席に着くと、

「いらっしゃいませ」

にこやかな若い女性がお茶を出してくれた。

父が電車の中で教えてくれたスタッフの人なのだろう。名前はたしか……。

「埜乃さんこんにちは」

父がそう挨拶をした。紅葉電車に乗っていた時よりも落ち着いた声になっている。

「紅葉電車の旅はいかがでしたか？」

埜乃さんが尋ねると、父は感慨深げにうなずいた。

「最高でしたよ。紅葉を見ながら、いろんな話ができて楽しかったです。な？」

急にこっちを見てきたので笑みは作らずにうなずいた。

窓ガラス越しの紅葉は美しく、私たちは家族の歴史を語り合った。私が忘れていた私のこともたくさん教えてもらえた。

あんなに穏やかに三人で話をしたのは、本当に久しぶりのことだった。

「ならよかったな」

かがんで作業をしていたのだろう、若い男性がぬっと立ち上がった。調理白衣にコックさんがつけるような白帽を被っている。

鋭い目に負けないようにじっとにらみつけてやる。この人が父を連れ去るのだとしたら、最後まで戦いたい。

私はキッチンカーの伝説なんて信じない。

お茶をずずっと音を立てて飲んだ父が、

「店主の悠翔さんとスタッフの埜乃さんだ」

と紹介し、母は立ち上がって挨拶をしている。私は軽く頭を下げただけ。

やがて木製の大きな丸皿が私たちに運ばれてきた。湯気の中から現れたのはワンプレートに盛り付けられた食事だ。

「これって……」

思わずつぶやいてしまった。皿の半分を占めているのは陶器に入ったグラタン。焦げたチーズの上に牡蠣がふたつ鎮座している。隣にはナポリタンとサラダが盛りつけてある。

三人でグラタンを作った日のメニューと同じ。

父のリクエストだろうと思ったが、隣のふたりも私と同じくらい驚いている。

「俺の食べたいものがわかる、って本当だったんですね！　そうか……最後の食事にこれほどふさわしいメニューはないよ」

うれしそうにスプーンを手にする父。ナポリタンを口に運んだ母が「わあ」と感嘆の声を上げている。

グラタンをすくい「ふーふー」と息を吹いてから食べてみる。懐かしい味に荒波のような心に日が差した気がした。だけど……このままじゃ父が連れて行かれてしまう。

スプーンを置く私に、悠翔さんは片眉を上げたので挑むように見返した。

「このキッチンカーが最後の晩餐……食事を出すところ、って本当なのですか？」

「ああ」とあっさり悠翔さんはうなずいた。

「人生の旅の終わりに食べる最後の料理を提供している。その地の名産を使うことが多いが、君たちのように思い出の食事がある人には、それを出すようにしている。ちなみにその牡蠣は浜名湖で獲れたものだ」

「なんで最後だってわかるんですか？　超能力者なの？」

「話す必要はない」

プイと横を向く悠翔さんに代わって、埜乃さんが申し訳なさそうに頭を下げた。

「愛想がなくてごめんなさい。いつもこんな感じなんです」

「あなたは……埜乃さんは、悠翔さんの正体を知ってるんですか?」

埜乃さんは悠翔さんのほうをチラッと見て、なにも言わないのを確認して話し出す。

「私も、事故があった紅葉電車に乗っていたんです」

「やっぱり!」と先に驚いたのは母だった。

「どこかで見たと思ってたのよ。埜乃さん、たしかご両親と……」

「はい。沼津駅のホームで少しお話ししましたよね」

さみしげに埜乃さんは言ってから、「私は」と続けた。

「あの事故で両親を失いました。ふたりとも旅行が好きじゃないと言っていたのに、強引に誘ってしまったんです」

「そうなの……」

「ほかの景色の写真を撮りたいと言い、車両を移動した両親は、そのまま帰ってきませんでした」

「そうでしたか……。つらかったですね」

埜乃さんは悲しみを消すように首を横にふった。

その時だった。

「ああ、うまいなあ」

場の空気を和ますように父が感嘆の声を上げた。が、その声がいつもよりくぐもっている。

見ると、父は笑いながら涙をボロボロとこぼしていた。

「どうしたの……？　え、具合が悪いの？」

オロオロして父の背中に手を当てると、父はスプーンを左右に振って否定を示した。

「違う違う。あまりにもうまくて涙が出ちゃったんだよ」

それは……最後の食事だから？　喉元まで出かかった言葉を意識して呑み込むと、それまで黙っていた悠翔さんが私に視線を向けるのがわかった。

「人の運命は変えられない。最初から全部決まっているんだよ」

「そんなの私は信じない。運命なんてないに決まってる」

認めてしまったらこの食事を最後に父がいなくなってしまう。

「受け入れたくない気持ちはわかる。家族を失うほどつらいことはないからな。真っ暗闇に放り出され、うずくまって動けなくなってしまう」

だけど、だけど……私は父を失いたくない。

「あなたになにがわかるのよ」

　きつい言葉を投げつける私の手を、父がギュッと握った。こんなに温かいのに、失うのを見ているだけしかできないなんて信じたくない。

「わかるんだよ」

　悠翔さんが白い帽子を取ると、柔らかそうな黒髪が現れた。

「俺も妹をあの事故で失った。それ以来、人の死が視えるようになったんだ」

　この人まで、と驚くが、埜乃さんは知っていたらしく真剣な顔でうなずいている。

　気づけばテーブルに置かれたグラタンに目を落としていた。

　どんなにつらかっただろう。ここにいる人たちは、みんなあの事故に遭った人たちなんだ……。

「俺は当時料亭で働いてた。葬式のあと、仕事をしていたら列車でたまたま知り合った人がお悔やみがてら店に来てくれたんだ。不思議だったよ。その人が三日後に最後の食事を摂ることがわかった。わかったというより確信したんだ」

「亡くなる日が文字で視えたりするんですか？」

　埜乃さんが悠翔さんの言葉が途切れるのを待ってから尋ねた。

「うまく説明できない。その人の名前といつ最後の食事を摂るのか、どんな食事がいいのかが頭に浮かぶんだよ。でも食事のあと、どれくらいで亡くなるかまではわからない」

母がぼんやりとキッチンカーを見回した。

「だから、キッチンカーで食事を提供することにしたんですか？」

もう母の目に涙は浮かんでいなかった。

「幸い、親からの遺産を相続したのもあってこの店を作った。ひとりだし、もう守る人たちもいなくなったからな」

淡々と語るぶん、余計に悲しみが伝わってくる。父は隣で静かに涙を流している。

「俺がわかるのは、あの電車事故に遭って生き残った人たちのことだけらしい。彼らはなにかに導かれるようにこの店を目指す。そして俺は最後の晩餐を提供している」

しんとする私たちのうしろで、虫の声がしている。風がすすきを揺らす音も聞こえる。みんなはしんみりしているけれど、私は納得できない。

お茶で喉を湿らせてから「あの」と声に力を入れた。

「最後の食事を出すことになんの意味があるんですか？　そんなの自己満足だし、私からしたらすごく迷惑です」

「だろうな」

「いつ死ぬかわからないのが人生だと思う。こんなふうに終わりを決められたら、残された家族はつらいだけじゃない」

タイムリミットが迫っているのに、それをただ見ていることしかできないなんて。

その時だった。父が私にグイと顔を近づけた。

「茜姫、それは違うぞ」

「近いって」

「ごめんごめん」

もうすぐいなくなるのに、なんでこんな風に笑っていられるの？

「お父さんな、病気がわかってから必死だった。茜姫にバレるんじゃないか、っていつも心配でたまらなかった。入院したままで死んじまったら怒られるだろうなって、不安しかなかったんだ」

「…………」

「この店に来たら、きっと笑顔で茜姫にさよならを言えると思った。一緒に最後の食事ができて本当にうれしかったよ」

ああ、抑えていた涙がまたあふれてきそう。向こうに座る母は、穏やかな表情で父を見守っている。

なんて答えていいのかわからず、食事を再開した。不思議と、ひと口食べるごとに父の死を受け入れる準備をしているような気分になる。

信じたくない。だけど……これが本当に最後の晩餐なのだとしたら、笑顔の父をずっと覚えていられる。

デザートに出たのはみかんゼリー。三ケ日町(みっかび)という町の名産品であるみかんは、父の大好物だった。

「俺はさ」と父がカウンターに肘をついた。

「仕事ばかりであんまりいい父親じゃなかった。でも、病気になってから、やっと茜姫の本当の父親になれた気がするんだ」

まるで最後の言葉を言っているみたい。こらえていた涙がぼろぼろと頰を伝っていく。

どうか行かないで。私を置いて逝かないで。

でもそんなことを言ったら父を困らせるだけだから……。

「ずっと本当の父親だったよ」

そう言うと、父はニヒヒと笑って私の肩を抱いた。

「茜姫とこんな風に話せて最高だよ。ずっと言いたかったことがある。生まれてきてくれてありがとう。お父さんとお母さんの娘になってくれてありがとう」

「お父……さん」

父の鼻が真っ赤になっている。父だって本当は泣きたいのに、必死でこらえてくれているんだ。

私も、私も……父に笑顔を覚えていてほしい。

母が勘定を済ませている間に、私と父はすすきの平原から丸い月を見あげた。もうすぐ父はいなくなってしまう。これが最後の記憶になる。

「お父さん」

そう呼ぶと、父は「ん」と口をニッと上げた。

「私も、お父さんの娘でよかった。お父さんのことが大好きだよ」

父が一瞬笑ったかのように見えたけれど違った。顔をゆがませ、大粒の涙をこぼしている。月明かりに照らされながら男泣きするお父さんを私は抱きしめた。

忘れないよ、お父さん。この夜が終わっても、お父さんがいなくなったとしても。

「お母さんはずっと茜姫と暮らしたかった。お父さんが嘘をつかせたことで、ふたりにはつらい思いをさせたな」

「大丈夫だよ。あと、お母さんのことは私に任せておいて」

「それを聞いて安心したのであーる」

いつもの冗談を言って、父はニカッと笑った。

これでいい。本心から出た言葉は、この先の人生を月のように照らしてくれるはず。

店のふたりが外まで見送りに来てくれた。

両親が挨拶をしたあと、悠翔さんは私の前に来た。

「がんばらない程度にがんばれよ」

「ありがとうございます。さっきはその……言葉がきつくなってごめんなさい」

「やけに素直だ」

そんな言葉に自然に笑ってしまってから気づく。眠気はどこかへ飛んで行ってしまったみたいだ。この美しい世界をいつまでも見ていたい気持ちになる。

タクシーに乗って帰る道、月がいつまでも私たちを追いかけてきていた。

初七日法要のあと、浜松市では珍しく雪が降り出した。

この数日は大変だった。母がマンションに戻るための引っ越しや、役所での手続き、株や不動産の名義変更などなど。やることだらけで息をつく暇もなかった。

夕飯の買い出しに行く母と別れてひとりマンションのエントランスをくぐると、小野田さんが私を見つけて小走りで駆けてきた。

「茜姫ちゃん、大変だったわねえ」

あいかわらずの猫なで声に苦笑する。

「いろいろお世話になりました」

「いいのよ。でも、あんな若さでお父さんが亡くなるなんてつらいわね。どんな気持ち？」

インタビューした内容を後日、住人たちに語るのだろう。尾びれと背びれをつけまくって。

「よお」

エレベーターから降りてきた夏生が、私を手招きをした。

「ちょうどよかった。先生から書類を渡すように頼まれててさ、部屋に戻れる？」

「あ、うん。じゃあ失礼します」

丁寧に頭を下げエレベーターに乗り込む。

上昇するエレベーターの中で「見た？」と夏生が尋ねたので笑ってしまう。

「見た見た。すごく不満そうな顔をしてたよね」

短い質問だけでわかり合えるのが幼なじみの特権だ。先生から書類を渡されたのも嘘だろう。

「よかったな。もう眠り姫じゃなくなったんだってな」

夏生は階数を示す表示灯を見ている。

「おかげさまで卒業したよ。これで受験勉強にもやっと取り組める」

エレベーターを五階で降りると、風に乗り雪が廊下にまで舞い降りていた。あの日父と見た落ち葉のようにはらはらと、ひらひらと。

最後の食事のあと、病院に戻った父があまりに元気なので看護師さんたちは驚いていた。もちろん抜け出したことはこってり絞られていたけれど。

私と母は病院に泊まり、朝方静かに息を引き取る父を見送った。父が旅した人生の終わりにいられたことが、ただうれしかった。

「聞いていい？」

うしろを歩く夏生が言った。

「うん」

「志望する大学ってさ……決めてたりする？」

「候補がいくつかあるの。ここじゃ寒いから部屋においでよ。作戦会議をしよう」

「わかった。飲み物取りにいったらすぐに行く」

夏生が部屋に戻るのを見送ってから、雪を眺めた。まるでおとぎ話の世界のように、街が白一色に染まっている。

――眠り姫は日常に戻り、夏生を意識するようになりました。

だけど、これで完結するわけじゃない。物語でいえば、まだ第一章が終わったくらいだろう。あの日、家族で笑い合えた記憶がこれからの私を支えてくれるだろう。

「ありがとう、お父さん」

人生の旅は続いていく。いくつもの季節を越えながら、美しいこの世界を生きていこう。

笑いながら、時には泣きながら。

幕切　神代悠翔

「お客様にお伝えいたします。現在、浜松市に土砂災害警戒情報が出されました。これより徐行運転となるため、到着の遅れが予想されます」

アナウンスの声に、車内から不満の声が上がった。再度スピードを落とした列車の向こうに、曇天の空が広がっている。

「ねえ、お兄ちゃん」

窓の外を見ていた花梨が俺を呼んだ。

「ん？」

「土砂災害だって。大丈夫かな……」

「大丈夫だろ。ていうか眠い」

昨日は夜中まで仕事だったので、さすがに眠くてたまらない。紅葉電車もこんな長い区間じゃなく、もっと短くて見どころのあるところだけを走ればいいのに。

乗客もいろんな角度から写真を撮りたいのだろう、あっちこっちに移動していて余計に混んでいるように感じてしまう。

とはいえ、妹との旅行はうれしくてたまらないのも事実だが。

「ちょっと、そんな不機嫌な顔しないでよね」

ぶうと頬を膨らませた花梨とは歳が離れているせいで、いつまで経っても俺にとっては幼い妹のまま。髪型はずっと肩のラインを維持していて、前髪だって定規で引いたように一直線。来年から大学生になるというのに、斜め掛けのなにが入るんだというくらい小さなポシェットの金具部分にキーホルダーがつけてある。

「不機嫌じゃない。寝不足なだけ」

「そうだよね。お兄ちゃんは元々そういう顔だからね」

なんて憎まれ口を叩いている。

「それ、流行ってんのか？」

キーホルダーを人差し指でチョイチョイと触ると、花梨はパアッと目を輝かせた。

「もう何年か前のアニメ作品のキャラなの。正直流行ってるとは言えないけど、すごく好きなんだ。『わにゃん』っていう名前なんだよ」

「へえ」

犬なのか猫なのか分からないキャラクターだ。

また出そうになるあくびを呑み込んだ。自分から旅に誘っておいたくせに、眠そうにしているのは申し訳ない。

「一号車に行こうか？　車掌室からなら綺麗な写真が撮れるかもしれない」

我ながらよいアイデアだと思ったが、花梨はひょいと肩をすくめると立ち上がった。

「トイレに寄ってくから、先に行って場所を取っておいて」

周りに聞こえないように言うべきだとも思ったが、あえて俺も肩をすくめて返事をした。花梨は長い足で俺の体をまたぐと、三号車のほうへ歩いていく。

それにしても、と周りを見渡す。これほどの人が参加していると思わなかった。

通路を挟んだ隣には、八十歳くらいのおばあさんが座っていて、両脇に座る中年の息子と娘らしいふたりが紅葉そっちのけで土地の話をしている。

ひとつ前の席に座る女子高生らしきふたり組は、テレビの話で盛り上がっていてにぎやかだ。少しのことでも大笑いしている姿を見ていると、なんだか自分が歳を取った気分になる。グループで参加しているのだろう、さっきは違う子が座っていた気がする。

それでも花梨と久しぶりに旅行に来られてよかった。両親が亡くなってから塞ぎ込んでいたが、この一年でずいぶん元気を取り戻してくれた。

推薦で決まった大学は遠いので、今後は頻繁に会うこともなくなるだろう。それは少し……いや、かなりさみしいが。

列車はかなり減速をしていて、今にも止まってしまいそうだ。

ふと、さっき花梨が言っていたことを思い出した。土砂災害警報情報か……。なぜかその言葉に嫌な予感が込み上げてきた。貴重品を手にしてトイレのある三号車へ向かうことにした。

歩き出したそばから、急に初老の男性が「写真を撮って来る」と言って通路に立ったので先に行かせた。

ペットボトルを手にした若い女子がドアを開けて入ってきた。

「あ……」

ドアの向こうに花梨のうしろ姿が見えた。混んでいるので一号車のトイレを使うことにしたのだろう。

三号車に入るとひとり旅らしき女性が、中年の夫婦と話し込んでいる。

「ホテルに遅れるのであーる」

と夫がおどけ、引きつった笑みを女性陣は浮かべていた。

花梨はもう二号車へ続くドアを開けている。

なぜだろう？　花梨を行かせてはいけない気がした。

向かってくる乗客を避けながら進んでいく。あと少しで二号車だ。

二号車のドアを開けようとした時だった。ちょうど二号車から出てきた女性とぶつかってしまった。女性が持っていたバッグの中身が床にぶちまけられる。

周りの乗客が慌てて拾うのを手伝っている。これでは先に進めない。俺も手伝うことにして腰をかがめた。

「すみません、すみません」

謝る女性の声に被せるように、遠くから音が近づいてくるのがわかった。

足元が小刻みに震え出している。地響きのようなうねりのある音がどんどん近づくにつれ、振動は激しさを増していく。

次の瞬間、俺の体は床に叩きつけられていた。いたるところで悲鳴が上がり、それ以上の金属音が響いている。

キーンとする耳鳴りに耐えながら体を起こすと、車体が斜めに傾いていた。

「嘘だろ……」

二号車に続くドアの取っ手はいびつな形になっていた。窓ガラスの向こうに目をやると、そこに二号車はなかった。左側にひしゃげた車体だったものが転がっている。

――そこからは記憶はあいまいだ。

病院に搬送された俺は、看護師の制止を振り切り花梨の姿を探した。悲惨な光景だった。さっき見た乗客たちが、泣き崩れている。けれどどんなに探しても花梨は病院内にはいなかった。

三日後、俺の手元に届いたのは、あのキャラクターのキーホルダーがついた汚れたポシェットだけだった。

エピローグ

珍しく浜松市で雪が降っている。

開店準備を終えた埜乃が、電気ヒーターのスイッチを入れた。

「こんな日はあまり客は来なさそうだな」

そう言う俺に、彼女は「ええ」とうなずきお茶を淹れてくれたので、ありがたく受け取る。

もう埜乃が来て一年が過ぎたことになる。

「月日が経つのは早いですね」

同じことを考えていたのだろう、埜乃が無数の粉雪を見ながらつぶやいた。

不思議な女性だ。埜乃が最後の晩餐を食べる日はわかっていたのに、自ら生きることを選択した。

「悠翔さん、妹さんのこと……残念でしたね」

「埜乃だって大切な人を亡くしたんだろ？　悲しみの深さは当人たちにしかわからないさ」

そっけない俺に慣れたのだろう、埜乃は笑みを浮かべたままだ。

「ひとつ、聞きたいことがあります。前に来店されたご家族に質問されていましたよね。『なんで最後の食事を提供するのか』って」

嫌な質問だ。あの時はうまくごまかしたつもりだったのに。

でもまあ、こんな雪の夜くらい、素直になってもいいのかもしれない。

「俺は……」

お茶で唇を湿らせてから続ける。

「俺はこう見えて弱いから、早く花梨に会いにいきたいって、今でも願ってしまうんだ」

生きている自分を感じるたびに罪悪感にさいなまれる。なぜあの時一緒にいてやれなかったんだ、と自分を責め続けている。

「こうやって最後の食事を提供していれば、いつか家族と再会した日によろこんでくれる気がしている。まあ、自己満足なんだろうな」

自嘲気味に笑うが、埜乃は「いいえ」と首を横にふる。

「自己満足なんかじゃありません。悠翔さんによって救われている人はたくさんいます。私もそうです」

「逆だよ」

そう言う俺に、埜乃はきょとんと首をかしげたので首を横に振った。

「いや、なんでもない。まあ……生きていくしかないんだろうな」

そう言う俺に、埜乃は力強くうなずいてくれた。

埜乃が覚えていないこと。もしもあの時、埜乃がバッグを床に落としていなかったなら、俺は花梨とともに死んでいただろう。

事故に遭ってしばらくの間は、なぜ一緒に逝かせてくれなかったのかと埜乃を恨んだこともあった。

けれど、最後の食事を提供するようになってわかったんだ。俺には俺の役割があるのだろう。そして、使命を与える手助けをした埜乃にもきっと……。

いつか、このことを埜乃に話せる日が来るのだろうか。

——最初に君が俺を救ったんだよ、と。

通りの向こうから、今日最後の食事をする客が歩いてくる。疲れた顔で、一歩一歩白に染まる道を踏みしめている。

思い出の料理はもう頭に浮かんでいる。背負ってきた荷物を解き、最後の食事をしよう。

雪が桜のように、枯れ葉のように降り続いている。

長い旅路の果てで待ってくれている人たちがいる。笑顔で会うために、俺なりにこの道を歩んでいこう。

愛する家族に再会する、その日まで。

あとがき

小学生の頃、私の世界はとても小さなものでした。学校と近所の公園、友だちの家と駄菓子屋くらいのもので、それで十分満たされていました。

親や先生から立ち入り禁止にされていた通称「裏山」を密かに登った夏休み、世界が想像していたよりもずっと広いことに気づかされました。山頂から見える空はどこまでも果てしなく続き、住んでいる街はあまりにもちっぽけに思えました。

場所だけでなく、自分を取り巻く環境や社会、人間関係も年齢とともに広がります。複雑に絡まったり解けたり、ときに切れたりしながら、意志とは関係なく毎日は続いていく。

社会人になり介護の道を選んでからたくさんの人と出会い、それ以上の別れを経験してきました。高齢者の方は時折、忘れられない人生の話をしてくれます。大切な人のこと、もう会えない人のこと、初めて子どもを抱いた日のこと、家族を失った日のこと。

過去を見つめる顔は皆やさしく、生命の尊厳に満ちています。世界の大きさは人それぞれで、見てきた景色も違います。だからこそ、ふたつとない美しさが存在しているのでしょう。

そうして私は思うのです。人生はまるで長い旅のようだと。

目的地もなく出発した旅人は、この広い世界を歩いていく。晴れの日も雨の日も、嵐で前が見えなくなる日も冬の寒さに凍える夜も。

ある日、ふと気づけば同じ道を歩んでいる仲間がいて、同じ歩幅で歩いてくれるかけがえのない人がいて、この世界の美しさをわけ合って。

別れ道で泣く泣く手をふり合う人がいたり、突然旅を終えてしまう人もいたことでしょう。「さよなら」を言えずにいなくなった旅人を忘れることができず、いつまでも同じ場所で待ち続ける人もいます。

だけど、私は信じたい。旅で出会ったすべての人があなたの歩む道を照らしてくれていることを。どうか歩みを止めずに、旅の終着地まで今日この日を大切にしてほしい。そんな願いを込めてこの物語を描きました。

初めに浮かんだ言葉は「最後の晩餐」でした。人生最後の食事を摂る日が来たなら私はどうするのだろう。そんなイメージから物語が広がっていきました。

作中の登場人物たちは、そこが人生の終着地であることがわかると、背負っていた荷物を下ろし、すべてを受け入れたように席に着きます。そして、人生という長い旅路をふり返りながら感謝の涙を流します。
見送る人も線香花火の終わりを見届けるように、せつなくも穏やかな気持ちで彼らの旅の終わりを見届けます。それは、明日からまた歩き出すために。彼らの旅はこれからも続いていくのだから。

本作品を完成に導いてくださった実業之日本社様、編集担当の篠原様に感謝申し上げます。また、『北上症候群』『無人駅で君を待っている』に続き、すばらしいカバーイラストを描いてくださいました、ふすい様にお礼申し上げます。
作品の世界観をより深めてくださいましたデザイン担当の西村様、ありがとうございます。

自身の著作の中で『無人駅で君を待っている』と本作を、私は「人生の旅シリーズ」と呼んでいます。『無人駅で君を待っている』では、静岡県浜松市を舞台に再会の物語を描きました。今作『旅の終わりに君がいた』では、愛する静岡県全域を舞台に五人の主人公を描きました。

とは言え、静岡県には描きたい場所がまだまだあります。

長い旅の途中でもしも私に出会ったなら、これまで見てきた景色を私に教えてください。あなたの人生の旅を文字にし、大切な人に届けることできたならこんなに幸せなことはありません。

私自身もまだ旅の途中。奈良県で生まれ大阪府の高校へ進学し、大学では岐阜県へ。それらを合計した期間よりも長く静岡県に住んでいるなんて、あの山頂で空を見ていた少年は想像もしていなかったことでしょう。

この世界の美しさとはかなさを感じながら、ともに人生の旅を歩みましょう。

笑いながら、時には泣きながら。

二〇二四年四月　いぬじゅん

本書は書き下ろしです。

本作品はフィクションです。実在の個人、団体とは一切関係ありません。（編集部）

実業之日本社文庫 い184

旅の終わりに君がいた

2024年4月15日　初版第1刷発行
2024年6月14日　初版第2刷発行

著　者　いぬじゅん

発行者　岩野裕一
発行所　株式会社実業之日本社
〒107-0062　東京都港区南青山6-6-22 emergence 2
電話 [編集]03(6809)0473 [販売]03(6809)0495
ホームページ　https://www.j-n.co.jp/
DTP　ラッシュ
印刷所　大日本印刷株式会社
製本所　大日本印刷株式会社

フォーマットデザイン　鈴木正道(Suzuki Design)

ISBN978-4-408-55875-2（第二文芸）